MySpanishLab! ¡Hola!

Part of the **award-winning** MyLanguageLabs suite of online learning and assessment systems for basic language courses, MySpanishLab brings together—in one convenient, easily navigable site—a wide array of language-learning tools and resources, including an interactive version of the *Identidades* student text, an online Student Activities Manual, and all materials from the audio and video programs. Chapter Practice Tests, tutorials, and English grammar Readiness Checks personalize instruction to meet the unique needs of individual students. Instructors can use the system to make assignments, set grading parameters, listen to student-created audio recordings, and provide feedback on student work. MySpanishLab can be packaged with the text at a substantial savings. For more information, visit us online at http://www.mylanguagelabs.com/books.html.

A GUIDE TO *IDENTIDADES* ICONS

	Text Audio Program	This icon indicates that recorded material to accompany *Indentidades* is available in MySpanishLab (*www.mylanguagelabs.com*), on audio CD, or on the Companion Website (*www.pearsonhighered.com/identidades*).
	Pair Activity	This icon indicates that the activity is designed to be done by students working in pairs.
	Group Activity	This icon indicates that the activity is designed to be done by students working in small groups or as a whole class.
	Web Activity	This icon indicates that the activity involves use of the Internet.
	Video icon	This icon indicates that a culture-oriented video episode is available for the *Ventanas al mundo hispano* section. The video is available on DVD and in MySpanishLab.
	Student Activities Manual	This icon indicates that there are practice activities available in the *Identidades* Student Activities Manual. The activities may be found either in the printed version of the manual or in the interactive version available through MySpanishLab. Activity numbers are indicated in the text for ease of reference.

D1400014

Elizabeth Guzmán • Paloma Lapuerta
Judith E. Liskin-Gasparro • Matilde Olivella de Castells

Identidades
Exploraciones e interconexiones

Custom Edition for University of Michigan—Ann Arbor

Taken from:
Identidades: Exploraciones e interconexiones, Third Edition
by Elizabeth Guzmán, Paloma Lapuerta,
Judith E. Liskin-Gasparro, and Matilde Olivella de Castells

ISBN 10: 1-323-61093-6
ISBN 13: 978-1-323-61093-0

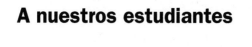

A nuestros estudiantes

Brief Contents

Scope and Sequence

Communicative Goals and Linguistic Content | Recycling

Communicative Goals	Linguistic Content	Recycling
• Giving and following instructions • Avoiding repetition when reacting to and commenting on issues • Making polite requests	• Direct and indirect object pronouns together 160 • Formal commands 168 • Informal commands 170 • *Algo más:* Equivalent of English *let's* 172	• Present indicative • Present subjunctive • Preterit and imperfect
• Analyzing and discussing human relations • Describing and interpreting human behaviors • Expressing opinions, doubts, and concerns about human relations	• Reflexive verbs and pronouns 185 • Present subjunctive with expressions of doubt and denial 195 • *Algo más:* Reciprocal verbs 199	• Present indicative • Present subjunctive • Preterit and imperfect
• Analyzing past and present social conditions and political issues • Reporting and discussing social changes • Supporting and opposing a point of view about social and political issues	• Indefinite and negative expressions 212 • Indicative and subjunctive in adjective clauses 221 • *Algo más:* Relative pronouns 224	• Present indicative • Present subjunctive • **Gustar** and similar verbs
• Reporting on geography and the environment • Discussing causes and effects of current environmental problems • Expressing purpose and conjecture • Talking about future consequences of current situations	• Future tenses 238 • Indicative and subjunctive in adverbial clauses 254 • *Algo más:* Verbs followed by an infinitive 259	• Present indicative • Present subjunctive • **Se** in impersonal and passive expressions • Infinitives
• Talking about current issues and values • Giving opinions on controversial issues	• Imperfect subjunctive 272 • Hypothetical conditions using imperfect subjunctive and conditional 282 • *Algo más:* Summary of uses of **se** 284	• Future and conditional • Present subjunctive • Reflexive and reciprocal verbs • **Se** in impersonal and passive expressions • **Se** in double object pronoun constructions

Scope & Sequence

We welcome you to the third edition of *Identidades*. The new features in this edition promote students' acquisition of Spanish language skills while continuing to present the richness of the Hispanic world and its people. By engaging with the cultural, artistic, and social manifestations that infuse the program, students will deepen their understanding that the Spanish-speaking world is made up of many races, ethnic groups, and cultures.

Identidades is a two-semester intermediate Spanish program that brings the goals of the National Standards to virtually every page of the text and its ancillary components. *Identidades* provides a much-needed balance to intermediate Spanish programs: It presents the cultures of the Hispanic world in ways that are both appealing and appropriate for college students, and it simultaneously maintains reasonable expectations for students' language use. Communicative and rich in cultural content, *Identidades* engages students, supports the language-learning process, and prepares students to continue their study of Spanish beyond the second year.

New to This Edition

The third edition of *Identidades* builds on the strengths of the previous editions. The changes to the third edition of *Identidades* will enhance student learning, facilitate instructors' use of the materials, and increase the value of the program. These changes include the following:

- **NEW Photos and Captions in *Vista panorámica*** Many new photos and captions update the content and give the program a fresh, new look. The captions preview chapter vocabulary and create connections between the images and chapter content.

- **NEW Focus on Lexical Development in *Vocabulario en contexto*** New activities in the *Vocabulario en contexto* section focus on developing active vocabulary knowledge and optimizing student output through exposure to a rich cultural context.

- **NEW Readings and Communicative Activities** Most of the readings are either new or have been substantially revised from the last edition to update them and increase their accessibility. New post-reading activities promote communication by drawing students to the texts and applying the content. The readings are sequenced to match students' developing abilities throughout the program.

- **NEW Grammar Illustrations and Simplified Presentations in *Aclaración y expansión*** Each grammar point is introduced with new line art that illustrates the connection between the structure and its communicative function. The grammar explanations have been shortened and the concepts made more accessible.

- **NEW Practice Activities** The new first activity in each *Aclaración y expansión* section, entitled *Práctica*, provides controlled practice to support students' understanding of the structure and bridge the gap from conceptual understanding to language use.

- **NEW *A escuchar* Listening Sections** Listening activities are now included in every chapter of the textbook and are supplemented by new practice activities in MySpanishLab and the Student Activities Manual.

■ **NEW Expanded Instructor Annotations** The marginal annotations for instructors have been greatly expanded. Busy instructors will find that the new annotations reduce their planning time for each class. Cross-references to the Student Activities Manual and MySpanishLab will facilitate syllabus preparation and the integration of the ancillaries with the textbook. New **Standards annotations** in the margins of every chapter point out how specific readings and activities reflect the National Standards so that instructors can help students integrate and synthesize learning across the curriculum.

Key Features of *Identidades*

The third edition of *Identidades* remains faithful to the original goals of the program—to build the language skills of students in intermediate Spanish courses in rich communicative and cultural contexts.

■ A **culturally rich, content-based approach** provides a wide variety of engaging topics that students will easily connect to their interests and experiences.

■ An **interactive, student-centered approach** encourages collaboration and combines problem-solving, open-ended inquiry, and transfer of strategies from other academic disciplines. The *Identidades* program makes it possible for students to learn significant content at their linguistic level.

■ A **strategy- and process-oriented approach to reading and writing** guides students to apply their cognitive skills to communication in a second language. Reading strategy activities and comprehension tips draw students' attention to key ideas or unfamiliar words and help them develop their comprehension skills. Writing strategies and tasks provide guidance for students to produce descriptions, narrations, and explanations. Research-oriented writing activities prepare students for courses beyond the second year.

■ A **straightforward approach to grammar** that focuses on metalinguistic understanding, accessible explanations, and a sequence of activities that move from skill-building to communicative. The approach to grammar in *Identidades* responds to the linguistic readiness of students at the intermediate level and emphasizes linguistic functions and structures that are within their developmental range—comparison, explanation, narration, description, and expression and support of opinions.

■ A **strategies-based approach to listening** integrates video and audio segments into every chapter. The accompanying activities aid literal comprehension and guide students to apply the content to their own experiences. The strategies-based approach builds students' overall comprehension skills.

Program Overview

Identidades third edition consists of ten chapters, all of which have an identical structure and balance of activities. Each chapter opens with a list of communicative goals, thematic and cultural content, and an outline of each section. A photo spread, *Vista panorámica*, prepares students for the upcoming readings and the rich cultural content that infuses each chapter. The images and captions provide contexts for brainstorming and activation of background knowledge. A list of active vocabulary ends the chapters.

Primera parte

A leer

- **Vocabulario en contexto** Activities introduce students to the general topic of the reading selection by activating their knowledge at several levels: (a) general background knowledge about the thematic area, (b) specific topical knowledge related to the content of the text, (c) development of active vocabulary, and (d) linguistic knowledge of vocabulary crucial to comprehending the text. Throughout this section students are introduced to vocabulary in the context of the upcoming reading selection.
- **Estrategias de lectura** Pre-reading activities direct students' attention to features of the text (e.g., title, headings, first sentence of each paragraph, key words). Using techniques such as skimming and scanning, students familiarize themselves with the text before beginning to read it closely.
- **Lectura** The readings are designed to enhance students' reading skills in Spanish as well as their knowledge related to the chapter theme. Relevant to students' lives and experiences, the selections cover a broad range of engaging cultural topics, including sports, ecology, politics, human relations, globalization, and technology.
- **Reading tips** Marginal notations placed strategically throughout each reading text help students maintain concentration, focus on the main ideas of each paragraph, and anticipate and solve linguistic difficulties. The tips counteract the tendency of many intermediate students to read for words, rather than for ideas, and they help students develop reading fluency.
- **Comprensión y ampliación** Post-reading activities expand comprehension of the text both locally and globally through vocabulary building, understanding textual content, making connections with related disciplines, and applying the ideas in the text to students' lives and cultural contexts.

Aclaración y expansión

The philosophy that underlies the presentation of grammar in *Identidades* is that students, as adult language learners, benefit from straightforward explanations and examples, as well as from opportunities to use structures in both controlled and open-ended activities in meaningful communicative contexts.

Ventanas al mundo hispano

The culture-oriented video segments appear between the two main sections of the chapter. The *Ventanas al mundo hispano* section guides students' comprehension and analysis of the video segments through previewing, viewing, and post-viewing activities.

Segunda parte

The **A leer** and **Aclaración y expansión** sections are identical in format to the *Primera parte.*

Algo más These boxes and their accompanying activities present supplementary structures and other linguistic forms that coordinate thematically or grammatically with the chapter content.

A escuchar The listening comprehension section presents an audio text related to the chapter theme. Pre-listening and post-listening activities reinforce the content and build students' comprehension skills.

A escribir Following a process approach, students analyze texts and use them as models to produce their own writing.

A explorar Students are guided through mini-research projects using their choice of Web sources. The projects are designed so that students expand their knowledge of the history, art, public institutions, and important individuals of the Spanish-speaking world and develop their presentation skills in Spanish. The culminating activity is a presentation in which students make use of the vocabulary, grammatical structures, and cultural themes of the chapter.

Program Components

In addition to the student textbook, the *Identidades* program has the following components:

Instructor Resources

- **Annotated Instructor's Edition** The AIE has ample marginal notes for the instructor on how to approach activities and expand on them as appropriate for one's students. Suggestions for additional vocabulary and grammar activities found in the Student Activities Manual are highlighted for instructors in the margins.

- **Instructor's Resource Manual** The Instructor's Resource Manual presents instructors with timely information on topics such as the acquisition of Spanish by students at the intermediate level and strategies for assessing language skills using the framework of the National Standards. It also includes complete syllabi and lesson plans, and audio and video scripts.

- **DVD** The DVD consists of mini-documentaries on topics that reflect the cultural themes in each chapter. The video is available on DVD or on MySpanishLab.

- **Testing Program** Electronic files containing the testing program in Word format, which allows instructors to customize exams, are available in MySpanishLab.

Student Resources

- **Audio for the text** The audio program corresponds to the listening comprehension section, *A escuchar*, and the reading, *Lectura*, found in each chapter. These recordings are also accessible in MySpanishLab.

- **Student Activities Manual** The Student Activities Manual includes language practice exercises for listening, reading, grammar, and writing.

- **Audio CDs for the Student Activities Manual** These CDs contain the entire audio program for the listening comprehension materials in the Student Activities Manual.

- **Answer Key for the Student Activities Manual** The answer key is intended for use in conjunction with the paper version of the Student Activities Manual. Instructors may wish their students to use the Answer Key to self-correct their homework.

- **DVD** The DVD consists of mini-documentaries on topics that reflect the cultural themes in each chapter. The video is available on DVD or on MySpanishLab.

Course Management/Online Resources

Companion Website™ The Companion Website™ *www.pearsonhighered.com/identidades* is organized by textbook chapter. It provides access to the audio programs for the complete text and the Student Activities Manual.

MySpanishLab with eText to Accompany *Identidades* (*http://myspanishlab.com*)

The moment you know Educators know it. Students know it. It's that inspired moment when something that was difficult to understand suddenly makes perfect sense. Pearson's MyLab products have been designed and refined with a single purpose in mind—to help educators create that moment of understanding for their students.

MyLanguageLabs deliver **proven results** in helping individual students succeed. They provide **engaging experiences** that personalize, stimulate, and measure learning for each student. And, they come from a **trusted partner** with educational expertise and an eye on the future.

MyLanguageLabs can be linked out to any learning management system. To learn more about how the MyLanguageLabs combine proven learning applications with powerful assessment, visit http://www.mylanguagelabs.com

Acknowledgments

Identidades is the result of a collaborative effort between the authors, our publisher, and our colleagues. We are especially indebted to many members of the Spanish teaching community for their time, candor, and insightful suggestions as they reviewed this edition of *Identidades.* Their critiques and recommendations helped us to sharpen our pedagogical focus and improve the overall quality of the program. We gratefully acknowledge the contributions of the following reviewers:

Ana M. Alonso, *Northern Virginia Community College*
Gerardo T. Cummings, *Indiana State University*
Melanie L. D'Amico, *Indiana State University*
Lisa DeWaard, *Clemson University*
Jason Fetters, *Purdue University*
H. J. Manzari, *Washington & Jefferson College*
Jerome Miner, *Knox College*
David L. Paulson, *Southwest Minnesota State University*
Maricelle Pinto Tomás, *University of Wisconsin-Parkside*
Patricia E. Reagan, *Randolph-Macon College*
Fanny Roncal Ramírez, *The University of Iowa*
Amy C. Williamson, *Mississippi College*
U. Theresa Zmurkewycz, *Saint Joseph's University*

La comida

6

Objetivos comunicativos
- Giving and following instructions
- Avoiding repetition when reacting to and commenting on issues
- Making polite requests

Contenido temático y cultural
- Variety of foods in the Spanish-speaking world
- Origins of foods and food products
- Work in food-related settings

Vista panorámica

En la mayoría de los países hispanos, la comida principal del día, que por lo general se come por la tarde, suele ser larga y abundante. Para muchos es el momento más importante del día porque es cuando se reúne toda la familia. Esta familia disfruta de una buena parrillada de carne y mariscos.

La cosecha de la uva es muy importante en España, Chile y Argentina, donde la producción de vino es excelente y se exporta a todo el mundo.

Productos como el maíz, la patata o papa, el tomate y el chocolate no se conocían en Europa antes del siglo XV.

Vista panorámica

La cocina peruana es muy variada y en ella se encuentran tradiciones incaicas, españolas y criollas, además de las más recientes influencias africanas, japonesas y chino-cantonesas. En Perú existen cuatro mil variedades de papas, dos mil especies de pescados e innumerables variedades de frutos y verduras.

El chile es un ingrediente fundamental en la comida mexicana. En los mercados se encuentran muchos tipos de este producto, que sirve para condimentar los platos y hacer salsas picantes.

ROSADA CANCHAN 5K x 4.00

El ganado que se cría en las grandes llanuras del norte de Argentina y en Uruguay produce carne de gran calidad.

PRIMERA PARTE

A leer

06-01 to
06-09

Vocabulario en contexto

6-1 La comida como pasatiempo. Primera fase. Escriba el número de la descripción al lado del grupo de comida correspondiente en la pirámide alimenticia.

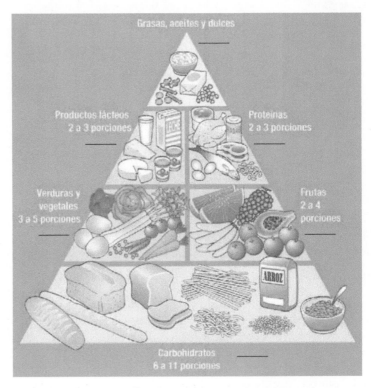

1. Diversos tipos de pan, cereal, arroz y pasta corresponden a este grupo. Son muy buenos para la salud, especialmente los de granos enteros.
2. Alimentos como el brócoli, los tomates, las zanahorias, las patatas o papas y la lechuga contienen importantes vitaminas en su dieta. Los médicos recomiendan que los comamos crudos o poco cocidos.
3. Los productos de este grupo son los más peligrosos para la salud. Sirven para endulzar o freír la comida o los postres. Se deben usar en cantidades pequeñas porque contienen mucha grasa y azúcar.
4. Este grupo está representado por las naranjas, las manzanas, los plátanos, las uvas, los mangos, etc. Contienen azúcar natural que se quema rápidamente en el cuerpo.
5. La leche, el queso y los yogures forman parte de este grupo. Son fundamentales en la dieta de los niños como la de los adultos.
6. Este grupo contiene una diversidad de carnes tales como carne de res, pollo, cerdo o puerco, cordero, pescados, mariscos, etc.

6-2 ¡La comida entra por la vista! Primera fase. En las siguientes fotos de platos hispanos, usted observará y leerá sobre los ingredientes básicos con que estos se preparan. Escriba la letra que corresponde a su descripción bajo la foto apropiada.

1. Paella _____

2. Parrillada _____

3. Ceviche _____

4. Tamales _____

a. Este plato criollo picante se come en varios países tales como Perú, Chile y Ecuador. Se prepara con pescado y mariscos marinados con lima y ají. En Perú se sirve con patatas dulces y choclo o maíz cocido.

b. Este es un plato popular en los países del norte de América Latina, Centroamérica y el Caribe. Se prepara con harina de maíz y varios ingredientes como carne molida (*ground*) y especias, y se envuelve en hojas de plátano. En algunos países agregan aceitunas y alcaparras.

c. Los argentinos son famosos por esta delicia. En su preparación se utilizan varios tipos de carne y verduras, las cuales se asan en una parrilla.

d. Este es un plato que, según muchos, nació en Valencia, España. Se prepara en una cazuela o sartén (*frying pan*) enorme en la que se fríen los mariscos, el pescado y otros ingredientes. Se le agrega azafrán y caldo (sopa) de pescado.

Segunda fase. Respondan a las siguientes preguntas. Háganse preguntas adicionales para averiguar más sobre las experiencias culinarias de cada uno de ustedes.

1. ¿Alguna vez comiste alguno de los platos mostrados en la *Primera fase*? ¿Cuál? ¿Te gustó?
2. ¿Cuál de los platos no has probado nunca? ¿Te gustaría probarlo?
3. ¿Se usa algún ingrediente de los platos de la *Primera fase* con frecuencia en la cocina de tu casa? ¿Qué ingrediente? ¿Cómo se utiliza?

6-3 ¡Matando el tiempo en la cocina! Piense en dos de sus platos favoritos. Escriba los ingredientes básicos que se usan en su preparación y marque (✓) la manera en que se preparan. Comparta la información con su compañero/a.

Plato	Ingredientes	Se fríe(n)	Se guisa(n)	Se marina(n)	Se asa(n)	Se rellena(n)

Estrategias de lectura

EXPRESIONES CLAVE

¿Comprende estas expresiones clave? Si tiene dudas, revise *Vocabulario en contexto* antes de leer el siguiente texto.

la aceituna	la harina
el ají	el maíz
asar	marinar
el azafrán	el marisco
la carne	la parrillada
el ceviche	el pescado
envolver	rellenar
guisar	

1. Use el título para anticipar el contenido del texto.
   a. Lea el título: "La variedad de la cocina hispana". En este texto, la palabra *cocina* significa *cooking* o *cuisine*; no significa *kitchen*. ¿A qué países se refiere la palabra *hispana*? Mencione cuatro o cinco.
   b. Por la palabra *variedades*, adivine el tema probable del texto. ¿Tratará de las diferencias entre la cocina de los países hispanos, o de las semejanzas entre países?
2. Examine el texto antes de leerlo.
   a. Mire rápidamente el texto y pase su marcador por la primera frase de cada párrafo. Ahora lea las frases. En su conjunto, dan un resumen de los temas principales del texto.
   b. Lea otra vez las frases por las que pasó su marcador: ¿Qué países y regiones se mencionan en estas frases? ¿Qué vegetales y qué granos se mencionan?

LECTURA

La variedad de la cocina hispana

Anticipe lo que va a leer. En este párrafo se habla de la comida hispana más conocida en Estados Unidos. ¿Cuál es? Luego se explica por qué hay más variedad ahora que antes.

Hasta hace muy poco, la única comida hispana popular en Estados Unidos era la mexicana. Los tacos, los burritos y las quesadillas son conocidos por todos, e incluso se pueden encontrar en los restaurantes de comida rápida, que ofrecen estas especialidades mexicanas adaptadas a los gustos estadounidenses. En los últimos años, la llegada de inmigrantes de otros países latinos ha resultado en 5 un mayor conocimiento de la extraordinaria diversidad de la comida hispana. En casi todas las grandes ciudades norteamericanas podemos encontrar hoy buenos restaurantes peruanos, cubanos, españoles, venezolanos, colombianos, bolivianos, salvadoreños o puertorriqueños, entre otros. Además, en los supermercados se encuentra una impresionante gama de productos de diversos países que les 10 permiten a los nativos de esos lugares mantener sus tradiciones gastronómicas y a los demás conocer esos productos.

¿Por qué hay más tipos de comida hispana en Estados Unidos ahora que en el pasado?

Es difícil decir cuál es el país latinoamericano con mayor diversidad culinaria, pero seguramente Perú y México estarían entre los primeros. Entre las delicias de la cocina peruana tenemos el ceviche, una refrescante combinación de pescados 15 y mariscos marinados en jugo de lima, y el lomo saltado, un plato de carne con papas que tiene influencia asiática.

⌃ Lomo saltado, acompañado de patatas, arroz, pimiento y cebolla

Igual que en Perú, la variedad de la comida mexicana es impresionante tanto por sus ingredientes como por las miles de maneras de prepararla. La diversidad del clima
20 y de culturas se refleja en la cocina de este país con sus platos guisados en toda clase de chiles y especias, sus salsas, sus verduras y sus postres. Entre los platos más apreciados tenemos el pozole, que es un guiso de carne y maíz previamente cocinado en jugo de lima. También es famoso el mole, una salsa hecha con cacao. La novela de la escritora mexicana Laura Esquivel, *Como agua para chocolate*, muestra
25 la importancia que tiene la comida en la vida de los mexicanos.

El maíz, también llamado choclo o elote, que por su origen americano está presente en muchos platos de la cocina hispana, también es el ingrediente más importante de las arepas, que encontramos principalmente en Venezuela y Colombia. Son unas tortitas (*patties*) de varios tamaños, formas y sabores que
30 suelen usarse para acompañar salsas en lugar del pan. Los venezolanos las comen como un sándwich, rellenas de queso o de carne.

Contrariamente al maíz, el arroz no es un producto original de las Américas. Sin embargo, se ha integrado de tal manera en la gastronomía hispana que en algunas regiones es casi imposible pensar en
35 una comida sin arroz. Así por ejemplo, el arroz con frijoles es el plato más común de todo el Caribe y buena parte de Centroamérica. Y algunos colombianos describen la comida de su país, un poco
40 en broma, un poco en serio, diciendo que es "arroz, papa y carne".

Al hablar de la comida hispana no podemos olvidar la del Cono Sur;

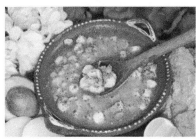

⌃ Sopa de pozole, hecha de maíz, carnes variadas, orégano y ají

Descubra información nueva. En este párrafo se habla de dos platos mexicanos que posiblemente no conozca. Al leer, busque los nombres y los ingredientes de estos platos e imagínese los sabores.

En este párrafo se habla de las arepas. Si no tiene una idea mental de ellas, vuelva a leer el párrafo para comprender mejor cómo son y busque una imagen de ellas en Internet.

aunque menos condimentada que la de otras partes de Hispanoamérica, se caracteriza por la calidad de sus carnes, pescados y mariscos. Son famosas las 45 parrilladas argentinas, uruguayas y brasileñas, así como las empanadas o pasteles de choclo chilenos.

Por último, hay que mencionar la comida española, una de las más variadas de Europa, con sus múltiples tradiciones regionales que reflejan el encuentro y la mezcla de tantas culturas. Posiblemente, el plato español más conocido sea la 50 paella, típica de la región valenciana. Se cocina en una gran sartén del mismo

55

60

65

70

⌃ Las tapas son una buena muestra de la variedad de la cocina española.

nombre, tiene una base de arroz condimentado con azafrán y es adornado con mariscos, carnes y verduras. Sin embargo, la buena cocina española no se limita a la zona mediterránea. En el norte encontramos zonas de gastronomía muy valorada con sus platos de pescado y marisco. En el resto del país son apreciados los productos curados (*cured*) del cerdo, los asados de cordero, las múltiples formas de preparar las verduras y legumbres y los postres de origen árabe, como el turrón. Una de las tradiciones culinarias más atractivas de España son las tapas, pequeñas muestras de platos cocinados o fríos que pueden probarse en casi todos los bares del país. Es una buena forma de disfrutar de la variedad y riqueza de la cocina española.

Anticipe el contenido. El párrafo trata de la comida española. Se mencionan muchos alimentos y platos diferentes. Al leer, fíjese en un plato que ya conoce, y en uno que no conoce.

CULTURA

En español hay muchas palabras que provienen del árabe. Algunas de las que se refieren a productos alimenticios son: arroz, azúcar, alcachofa, zanahoria, azafrán, aceituna y almendra.

Comprensión y ampliación

6-4 Comprensión. Elimine el elemento o los elementos que según la lectura no se relacionan con cada uno de los siguientes conceptos y explique con qué país o región se asocian.

1. La cocina mexicana: los tacos, el mole, las quesadillas, el pozole, el ceviche, la paella
2. La cocina peruana: el pescado, el marisco, el mole, el ceviche, la lima, las tapas
3. La comida del Cono Sur: el turrón, la parrillada, el pastel de choclo, los chorizos, el azafrán, las empanadas
4. La comida española: las tapas, el chile, el asado de cordero, las verduras, el pozole, el arroz

6-5 Ampliación. Primera fase. Asocie los siguientes platos hispanos mencionados en la lectura con su correspondiente descripción.

1. _____ la arepa   a. salsa hecha con cacao y especias
2. _____ el pozole   b. tortita de maíz
3. _____ el turrón   c. guiso de carne y maíz cocinado en jugo de lima
4. _____ el mole   d. postre español de origen árabe

Segunda fase. Ahora lean la siguiente receta y contesten las preguntas.

Tortilla de patatas

Ingredientes

4 huevos
½ kilo de patatas
1 vaso de aceite de oliva (¼ de litro)
1 cebolla
sal

Preparación

Lavar y pelar las patatas. Cortar en láminas finas. Pelar la cebolla y cortarla en rodajas finas. Poner el aceite a calentar en una sartén y freír la cebolla y las patatas a fuego lento hasta que estén blandas y algo doradas. Añadir un poco de sal. Sacar de la sartén y poner en un plato sobre un papel absorbente para quitarles el aceite.

Batir los huevos con un poco de sal en un cuenco[1] grande. Añadirles las patatas y la cebolla. Mezclar[2] bien.

Echar la mezcla en otra sartén con un poco de aceite caliente. Mover agitando[3] la sartén para que no se pegue[4]. Cuando la tortilla cuaja,[5] poner una tapa a la sartén y darle la vuelta una o dos veces hasta que está dorada por los dos lados.

[1] bowl   [2] mix   [3] shaking   [4] it doesn't stick   [5] sets

1. ¿De qué país es típico este plato? Si no lo saben pregúntenle a su profesor o búsquenlo en Internet. ¿Conocen otro nombre para este plato? ¿Saben en qué ocasiones se come?
2. ¿Qué diferencia hay entre esta tortilla y la mexicana?

6-6 Conexiones. *Primera fase.* Elija uno de los siguientes cereales para hacer una investigación sobre su historia y su impacto social: el arroz, el trigo, el maíz. Tome notas sobre los siguientes puntos:

1. Dónde se originó
2. En qué parte/s del mundo se usa como alimento básico
3. Descripción de dos platos que se preparan o combinan con este cereal
4. Algún otro dato interesante sobre este producto u otro producto relacionado

Segunda fase. Escriba un breve texto describiendo el cereal elegido y los datos que ha aprendido como consecuencia de su investigación.

Aclaración y expansión

06-10 to 06-18

Direct and indirect object pronouns together

¿Nos trae más pan, por favor?

Se lo traigo ahora, señor.

You saw in Capítulos 4 and 5 how to use direct and indirect object pronouns to avoid repetition. You will now learn how to use direct and indirect object pronouns together.

Indirect object pronouns		Direct object pronouns			
me	nos	me		nos	
te	os	te		os	
le (se)	les (se)	lo	la	los	las

When direct and indirect object pronouns are used together, the indirect object pronoun precedes the direct object pronoun, and they are placed before the conjugated verb.

I.O. D.O.		
El camarero **nos** sirvió **las arepas.**	→	El camarero **nos las** sirvió.
*The waiter served **us** the arepas.*		*The waiter served **them to us**.*

I.O. D.O.		
Amanda **me** pasó **el plato.**	→	Amanda **me lo** pasó.
*Amanda passed **me** the plate.*		*Amanda passed **it to me**.*

Two pronouns that begin with the letter **l** cannot be used together. The indirect object pronouns *le* and *les* always change to *se* before the direct object pronouns *lo, los, la*, and *las*.

I.O.   D.O.
Laura **les** *llevó* **la sopa**.   →   *Laura* **se la** *llevó*.
Laura brought **them** *the soup*.   *Laura brought* **it to them**.

In compound verb constructions, you may place double object pronouns either before the conjugated verb form or attach them to the accompanying infinitive or present participle.

Mi amigo quiere más arepas. El
   camarero **se las** va a traer en unos
   minutos.   *My friend wants more arepas. The*
El camarero va a **traérselas** en unos   *waiter is going to bring* **them to him**
   minutos.   *in a few minutes.*

El cocinero **se las** está preparando
   ahora.   *The chef is preparing* **them for him**
El cocinero está preparándo**selas**   *now.*
   ahora.

LENGUA

Remember that all object pronouns are always placed before the auxiliary **haber** and not after the past participle.

Le pedí a mi amigo las arepas, pero no **me las** ha dado todavía.

I asked my friend for the arepas, but he has not given **them to me** *yet.*

6-7 Práctica. Complete las oraciones con el pronombre (o los pronombres) que falta(n).

1. Comimos cordero. Mario __la__ preparó a la parrilla y __nos__ lo sirvió.
2. Yo __le__ presté a Mariana unos platos grandes. Ella __me__ __los__ devolvió después del banquete.
3. La sopa de pescado estaba deliciosa. La camarera __se__ __la__ recomendó a Susana y a su marido.
4. ¿Tienes unos minutos? Saqué fotos de la boda de Jorge y quiero mostrár__las__.
5. Necesitamos refrescos para la fiesta, y Carlos va a traér__los__.
6. Sarita, Javier necesita las copas que __le__ prestó. ¿Puedes devolvér__las__ esta semana? Quiere usar__las__ este fin de semana.

6-8 Las preguntas del dueño. El dueño del restaurante donde usted trabaja quiere saber qué hizo usted durante la última semana. Usen los pronombres de objeto directo e indirecto para hacerse las preguntas. Túrnense.

MODELO: Dar las solicitudes de trabajo al gerente
      E1: *¿Le dio usted las solicitudes de trabajo al gerente?*
      E2: *Sí, se las di./No, no se las di.*

1. Entregar las recetas nuevas a la cocinera principal
2. Explicar los cambios en el menú a los camareros
3. Llevar el menú nuevo al diseñador gráfico
4. Enviar los cheques a todos los empleados
5. Mandar una carta con una oferta especial a los mejores clientes
6. Dar los nuevos uniformes a los empleados
7. Comprar las frutas y verduras de la temporada al vendedor italiano

6-9 Una periodista en el restaurante Jaleo.

Complete la conversación entre una periodista y el chef
José Andrés, usando los pronombres de objeto directo o
indirecto.

JOSÉ ANDRÉS: ¿Puedo (1) ofrecer _las_ a usted
croquetas de pollo para comenzar?

PERIODISTA: Claro que sí, (2) _me_ encantan las
croquetas. Usted (3) _las_ prepara al estilo tradicional,
¿no?

JOSÉ ANDRÉS: La receta es de mi madre. Ella (4) _me_
enseñó a (5) hacer _lo_ cuando era niño. Ahora
cuando voy a Asturias para (6) ver _le_, yo
(7) _se_ _la_ preparo a ella.

PERIODISTA: ¡Qué interesante! ¿Qué otras tapas
(8) _me_ recomienda usted?

JOSÉ ANDRÉS: ¡El pan con tomate y queso manchego! Yo (9) _se_ _lo_
recomiendo a los clientes que vienen a Jaleo por primera vez.

PERIODISTA: Y el queso manchego, ¿dónde (10) _lo_ compra?

JOSÉ ANDRÉS: Todos los quesos nosotros (11) _nos_ _los_ compramos a un
fabricante de quesos en Asturias.

PERIODISTA: Muchas gracias por describir estas dos tapas. Voy a (12) comer _las_
con una copa de vino tinto.

⌃ José Andrés, chef de origen
español, es el dueño del
restaurante Jaleo, en Washington
D.C.

6-10 El nuevo chef.
Usted acaba de conseguir un nuevo trabajo como chef.
Hágale las siguientes preguntas al jefe/a la jefa de personal (su compañero/a).
Él/Ella debe contestarle usando pronombres de objeto directo e indirecto. Después
intercambien roles.

MODELO: E1 (chef): *¿Quién les sirve la comida a los clientes VIP del restaurante?*
E2 (jefe/a de personal): *Se la sirven los camareros con más experiencia.*

1. ¿Quién nos pasa la orden de los clientes a los cocineros?
2. ¿Quién me compra los ingredientes frescos todos los días?
3. ¿Quién me pela (*peel*) las papas?
4. ¿Quién me lava los platos y utensilios de cocina?
5. ¿Cuándo nos pagan el salario?
6. ¿Quién le prepara a usted el informe de los gastos del restaurante?
7. ¿A qué hora nos abren la cocina para comenzar a trabajar?
8. ¿Quién nos limpia la cocina por la noche?

6-11 Una invitación.
El dueño de un restaurante famoso le envió a usted dos
cupones para comer en su restaurante. Cuéntele a su compañero/a lo siguiente.
Después intercambien roles.

1. ¿Por qué cree usted que el dueño de ese restaurante le mandó los cupones?
2. ¿Pudo usted usar los cupones?
3. ¿Le dio uno de los cupones a alguien?
4. ¿Probó usted la comida del restaurante?
5. ¿A quién recomendó usted el restaurante?

El maíz: un alimento de múltiples usos

Antes de ver

6-12 El maíz, más que un alimento esencial. De la siguiente lista, marque (✓) los elementos que pueden asociarse con el maíz.

❶ _____ Las tortillas   ❺ _____ Los aztecas

❷ _____ La harina   ❻ _____ Los granos

❸ _____ La energía alternativa   ❼ _____ El aceite

❹ _____ La energía nuclear   ❽ _____ Los europeos

6-13 Comida y cultura. Marque (✓) las costumbres y prácticas culturales que usted asocia con el mundo hispano. (Hay más de una respuesta correcta.)

❶ _____ Las tapas   ❹ _____ Beber leche en el almuerzo

❷ _____ La comida rápida   ❺ _____ La siesta

❸ _____ Un desayuno ligero

Mientras ve

6-14 ¿Cómo se preparan? Ordene cronológicamente (**a**=primero, **f**=finalmente) las siguientes instrucciones para preparar arepas según se indica en el video.

❶ _____ Forme bolitas medianas de aproximadamente 8 centímetros.

❷ _____ Caliente el horno a 350 grados y ponga las arepas a hornear.

❸ _____ Sírvalas inmediatamente.

❹ _____ Ponga una taza y media de agua en un tazón.

❺ _____ Coloque las arepas en una plancha.

❻ _____ Agregue una cucharadita de sal, aceite y dos tazas de harina de maíz.

Después de ver

6-15 ¿Cierto o falso? Primera fase. Indique si las siguientes afirmaciones son ciertas (**C**) o falsas (**F**) según la información que aparece en el video. Si la respuesta es falsa, dé la información correcta.

❶ _____ El maíz ha alimentado a los pueblos mesoamericanos desde los inicios de su cultura.

❷ _____ El maíz es una planta originaria de España.

❸ _____ Con maíz se preparan tortillas, tamales, hayacas y quesadillas.

❹ _____ Con maíz se preparan muchas bebidas, como el atole y el tejate.

❺ _____ La arepa es un plato típico de Venezuela.

❻ _____ Para preparar arepas necesitamos muchos ingredientes.

 Segunda fase. Hagan una lista de platos del mundo hispano que ustedes conozcan. Cada grupo debe elegir uno de estos platos y explicar al resto de la clase cómo se elabora.

A leer

06-24 to
06-32

Vocabulario en contexto

 6-16 Adivina, adivinador. Indiquen el origen de los siguientes productos, según ustedes.

1. _____ el chile   a. África
2. _____ el aguacate   b. América
3. _____ la pimienta negra   c. Asia
4. _____ el cacao   d. Australia
5. _____ el azafrán
6. _____ la canela
7. _____ el arroz

6-17 Sabores. Primera fase. Indique si los siguientes productos o platos son dulces (**D**), salados (**S**), amargos (**A**), o picantes (**P**).

1. _____ el azúcar   5. _____ el ají o chile
2. _____ un taco   6. _____ la miel
3. _____ el chocolate no procesado   7. _____ la pimienta
4. _____ el helado de vainilla

Segunda fase. Entreviste a su compañero/a para averiguar lo siguiente. Tome notas para compartir con la clase.

1. ¿Cuál es tu sabor preferido?
2. ¿Te gustan los platos salados? ¿Los picantes?
3. ¿Cuál es tu plato o postre preferido? ¿Y tu bebida favorita?
4. ¿Recuerdas alguna mala o muy buena experiencia en un restaurante?

6-18 ¡Deleite de los dioses! Pensando en la historia de América, indique si las siguientes afirmaciones son probables (**P**) o improbables (**I**), según lo que usted sabe.

1. _____ En las comunidades indígenas se les ofrecían a los dioses las comidas más caras que se producían.
2. _____ Los soldados que participaban en las guerras, los monarcas y los comerciantes eran las clases menos privilegiadas y consumían la comida de peor calidad.
3. _____ En las comunidades agrícolas indígenas precolombinas se valoraban mucho las semillas.
4. _____ El cacao es un producto amargo que en las culturas de Mesoamérica se mezclaba con miel para hacerlo dulce.
5. _____ Para los europeos que llegaron al nuevo continente, América parecía el paraíso por su paisaje, gente y comida.
6. _____ El anís y la canela son especias que no se conocían en América antes de la llegada de los europeos.

Estrategias de lectura

1. Use el título para anticipar el contenido del texto.
   a. Lea el título "El chocolate: una bebida para los dioses". Lea también los subtítulos. ¿Conoce todas las palabras? Si no, búsquelas en el diccionario.
   b. ¿Qué significa *bebida para los dioses* en este contexto? ¿Qué implica la frase acerca del sabor del chocolate? ¿Acerca del valor del chocolate?
2. Examine el texto antes de leerlo.
   a. Mire rápidamente el texto y pase su marcador por el título y los subtítulos, las fechas y todas las palabras relacionadas con regiones geográficas.
   b. Basándose en la frecuencia de estas palabras en el texto, trate de adivinar cuál de los siguientes es el tema del texto: (i) los viajes de Cristóbal Colón a las Américas o (ii) el cultivo del cacao en el pasado y en el presente.

¿Comprende estas expresiones? Si tiene dudas, revise *Vocabulario en contexto* antes de leer el siguiente texto.

amargo/a	dulce
el anís	la especia
el cacao	espumoso/a
la canela	la miel
el chile	picante
consumir	la semilla

LECTURA

El chocolate: una bebida para los dioses

Orígenes del chocolate

El comercio del cacao es anterior a la colonización de América. Los indígenas de la zona de Mesoamérica cultivaban la planta del cacao y transportaban la
5 valiosa mercancía para venderla mucho antes de que los europeos descubrieran las virtudes del chocolate. En 1502, Cristóbal Colón encontró una canoa cargada de granos de cacao que posiblemente eran
10 de Costa Rica y seguían la ruta comercial hacia México para su venta.

Los restos arqueológicos indican que el consumo de cacao ya existía en épocas muy remotas; al menos desde el año
15 1100 A.C. Algunas esculturas y pinturas murales precolombinas muestran cómo se preparaba el chocolate y cómo se consumía.

Las culturas mesoamericanas antiguas
20 usaban los granos de esta planta como moneda. Esto demuestra el valor que le daban al cacao. El chocolate líquido que se preparaba a partir de ella era, además, una bebida ritual que se ofrecía a los dioses o a los muertos. Fueron sin duda los aztecas los que alcanzaron un mayor nivel de sofisticación en el uso del
25 chocolate. En la corte de Moctezuma, la bebida les estaba reservada a los nobles, los guerreros y los comerciantes. Preparaban un chocolate picante o amargo al que añadían miel o especias como el chile, achiote o la vainilla, y lo servían frío

⌃ Esta escena, pintada en un documento del siglo XVI, muestra la preparación ceremonial de la bebida del chocolate, que se presentaba a los dioses como ofrenda (*offering*).

❓ Anticipe el contenido. En este párrafo se cuenta cómo Cristóbal Colón encontró el cacao por primera vez. Al leer, fíjese en dónde, cuándo y cómo pasó.

❓ ¿Qué encontró Colón en 1502?

❓ Examine la escena de la foto antes de leer el párrafo. ¿Qué representa? Al leer, piense en la conexión entre la pintura y lo que dice el texto.

❓ En este párrafo se mencionan varias funciones del cacao. Al leer, pase su marcador por estas funciones. ¿Cuántas hay?

En este párrafo se describe la bebida de chocolate que tomaban los aztecas. ¿Qué diferencias nota usted entre la bebida azteca y el chocolate que se bebe hoy en día en cuanto a (a) su preparación y (b) su significado?

Los subtítulos señalan un cambio de tema o un contraste. En este caso se trata de un cambio de tema. Al leer el párrafo, piense en el cambio de tema que indica el subtítulo. ¿Cuál es?

¿Cómo cambiaron los españoles la bebida de chocolate azteca? Busque por lo menos dos cambios.

y espumoso. Tenía para ellos un valor religioso, pues compartían la creencia de que el dios Quetzalcóatl, serpiente emplumada y jardinero del paraíso, les trajo los primeros granos de cacao y les enseñó a cultivar la planta.

Los europeos descubren el chocolate

30

Los primeros europeos que probaron el chocolate fueron los colonizadores españoles que llegaron con Hernán Cortés a la ciudad de Tenochtitlán, capital del mundo azteca, situada en una isla en medio del altiplano en la que hoy se encuentra la capital de México. Se cree que fue Hernán Cortés el primero que llevó semillas de la planta del cacao a España en su viaje de 1528. A partir de esa 35 fecha, los españoles controlaron el comercio del cacao en Europa y mantuvieron en secreto su manufactura durante casi un siglo. Antes de llegar a Europa, el chocolate era consumido por los españoles en México, entre quienes se había convertido en un producto de lujo. Como los españoles cultivaban en México la caña de azúcar que trajeron de las Islas Canarias, pudieron beber chocolate dulce 40 al añadirle azúcar, además de otros condimentos como canela, anís o vainilla. Fue este chocolate dulce el que tendrá, tiempo después, un gran éxito en toda Europa.

Recuperar las técnicas antiguas de cultivo

En nuestros días, el mercado del chocolate está 45 en expansión y sus técnicas de producción siguen mejorando y refinándose. La creciente demanda de este producto en todo el mundo ha conducido a una continua extensión de los terrenos de cultivo del cacao frente a las selvas tropicales. 50 Por ello, los científicos están ahora interesados en recuperar los antiguos métodos de cultivo del cacao, con el fin de producirlo de una manera menos agresiva para el medio ambiente. Si durante miles de años se ha cultivado el cacao de 55 una manera sostenible, es hora de adoptar este modelo para que podamos seguir cultivándolo durante mucho tiempo en el futuro.

Comprensión y ampliación

6-19 Comprensión. Conteste las siguientes preguntas basando sus respuestas en conclusiones lógicas derivadas de la lectura.

1. ¿Cuál era un modo de transporte comercial común en Mesoamérica a principios del siglo XVI?
2. ¿Por qué se piensa que el consumo del chocolate es muy antiguo en el continente americano?
3. ¿Por qué cree usted que se les ofrecía chocolate a los muertos?
4. ¿Por qué en tiempos de Moctezuma se mezclaba el chocolate con miel?
5. ¿Por qué los españoles guardaban en secreto la forma de manufacturar el chocolate?
6. ¿Por qué está contribuyendo el chocolate a la desaparición de las selvas tropicales?

6-20 Ampliación. Escriba un párrafo basado en lo que usted leyó sobre el cacao. Incluya la siguiente información:

1. El valor del cacao en la época de los aztecas
2. El primer contacto de los españoles con el cacao
3. La demanda del cacao en nuestros días

6-21 Conexiones. Hagan conexiones con su propia experiencia y preparen una breve presentación sobre el chocolate para la clase que incluya lo siguiente:

1. Productos derivados del cacao que se pueden encontrar en los supermercados de su comunidad
2. Productos derivados del cacao que se comen regularmente y los que son considerados productos de lujo
3. Productos derivados del cacao que ustedes tienen siempre en sus casas

A escuchar

6-22 Una novia enfadada. Primera fase. Al volver de Otavalo, Ecuador, Miguel se encontró con su novia. Escuche su conversación e indique si las siguientes acciones se corresponden con Miguel (**MG**), Miriam (**MR**) o unos amigos (**UA**).

1. _____ Recomendaron la ciudad de Otavalo como un buen lugar para ir de compras.
2. _____ Se enfadó.
3. _____ Esperó más de una hora.
4. _____ Se olvidó de la cita.
5. _____ Tenía que hacer una llamada telefónica.
6. _____ Se disculpó.

Segunda fase. Ahora ponga las siguientes oraciones en orden cronológico (1 a 6). El número 1 ocurre primero.

_____ Miguel no llegó al café y Miriam se enfadó.
_____ Unos amigos le recomendaron a Miguel ir a Otavalo.
_____ Miguel se disculpó (*apologized*) con Miriam.
_____ Miriam no le creyó a Miguel y rompió con él.
_____ Miriam y Miguel decidieron encontrarse en un café para ir al cine.
_____ Miguel no recordó la cita que hizo con Miriam y se fue al mercado indígena.

Aclaración y expansión

Formal commands

> Margarita, por favor, **enséñeme** la receta de estas trufas de chocolate.

> Muy fácil, doña Juanita. **Derrita** (*melt*) 10 gramos de mantequilla y 125 gramos de chocolate. Luego, **ponga** la mezcla derretida en el refrigerador por dos horas. Después,…

> No me **diga** nada más. Prefiero comprarlas. Es menos trabajo.

LENGUA

To soften a command and be more polite, Spanish speakers may add **por favor: Pruebe este ceviche, por favor.** To make a polite request, they may avoid command forms and instead use a question with **podría(n)** + *infinitive* or a statement with an impersonal expression + *infinitive*.

Podría probarlo antes de echarle más sal.

You could taste it before you add more salt.

Es mejor para la salud *usar* menos sal.

It is healthier to use less salt.

- Use formal commands to tell people you address as **usted** or **ustedes** to do something. These commands have the same form as the **usted/ustedes** forms of the present subjunctive.

  Pruebe este ceviche.   *Taste this ceviche.*
  Añada sal a su gusto.   *Add salt to taste.*

- The use of **usted** and **ustedes** with command forms is optional. When used, they normally follow the command.

  Beba usted una copa de vino con   *Drink a glass of wine with the*
  el ceviche.   *ceviche.*

- Object and reflexive pronouns are attached to the end of affirmative commands, but they precede negative commands.

  Si tiene barras de chocolate, **córtelas** y luego **combínelas** con agua caliente. Si tiene canela en palo, **métala** en el chocolate. Si tiene solamente canela en polvo, **no la use.** No tiene el mismo sabor.

  *If you have chocolate bars, **cut them** and then **combine them** with hot water. If you have a cinnamon stick, **put it** in the chocolate. If you have only ground cinnamon, **do not use it**. It does not have the same flavor.*

6-23 Práctica. Usando los mandatos formales, escriba algunos consejos útiles para un chef joven.

1. _____ (Ir) al mercado muy temprano por la mañana para elegir los productos más frescos.
2. _____ (Cambiar) frecuentemente el aceite de freír. El aceite quemado no es saludable.
3. _____ (Ofrecer) siempre pescado fresco a sus clientes.
4. _____ (Asegurarse) de que la carne es de muy buena calidad.
5. _____ (Poner) sal y pimienta para dar sabor a los platos.
6. _____ (Servir) porciones moderadas.
7. _____ (No cobrar) precios muy altos por el vino.
8. _____ (Comprar) siempre frutas y verduras de temporada.

6-24 Consejos a los camareros. Primera fase. Usted tiene que entrenar a un nuevo equipo de camareros sin experiencia. Escoja el verbo más apropiado entre paréntesis y, luego, escriba los consejos útiles para los camareros. Use mandatos formales.

1. Siempre _____ (sonreír/tratar mal) a los clientes.
2. _____ (Hablar/Escribir) claramente cuando les explican oralmente los ingredientes de un plato a los clientes.
3. _____ (No interrumpir/No permitir) las conversaciones de los clientes.
4. _____ (Leer/Enviar) mensajes de texto a los amigos después de las horas de trabajo.
5. _____ (Lavarse/Limpiarse) las manos siempre antes de comenzar su turno.
6. _____ (No llamar por/Contestar) el celular mientras sirven la comida.
7. Siempre _____ (estar atento a/desatender) las necesidades de los clientes.
8. _____ (Hacer yoga/Concentrarse) en su trabajo para evitar problemas con los clientes.
9. _____ (Ser irrespetuoso/Ser amable) con todos los clientes.
10. Nunca les _____ (robar/cobrar) más de lo correcto a los clientes.

 Segunda fase. Discutan cuáles son los cinco consejos más útiles de la *Primera fase* para un camarero sin ninguna experiencia. Expliquen por qué.

6-25 Disfrute de la comida saludable. Usted trabaja en un centro de nutrición. Prepare una lista de recomendaciones para un cliente importante.

MODELO: Consumir alimentos con fibra
Consuma alimentos que tengan fibra, como el pan integral (whole wheat).

1. Reducir los carbohidratos
2. Hacer ejercicio
3. No consumir alimentos que contienen azúcar procesada
4. Comer comida en cantidades moderadas
5. Aumentar el consumo de verduras, pescados y mariscos
6. Evitar las grasas saturadas
7. Beber seis o siete vasos de agua diariamente
8. Buscar productos orgánicos en el supermercado

 6-26 Cómo alimentarse bien y barato. Primera fase. Es difícil alimentarse bien y barato en la universidad. Hagan una lista de por lo menos cinco recomendaciones para sus compañeros. Consideren las mejores ideas de la siguiente lista u otras propias.

MODELO: *Comparen precios entre las tiendas de comida.*

1. Planificar el menú de la semana
2. Hacer una lista antes de ir de compras
3. Elegir los productos de temporada
4. No ir al supermercado con hambre
5. Comer fuera de casa una vez por semana
6. Usar cupones

 Segunda fase. Comparen su lista con la de otra pareja. Entre los cuatro, preparen una lista de las dos recomendaciones más importantes para presentar a la clase.

Informal commands

- Use informal commands with people you address as **tú**. For the negative informal command, use the **tú** form of the present subjunctive.

> **No pruebes** el chocolate todavía. Está muy caliente.
> Esta vez, **no uses** tanta vainilla.

> **Don't taste** the chocolate yet. It is very hot.
> This time, **don't use** so much vanilla.

- Affirmative **tú** commands usually have the same form as the **él/ella** form of the present indicative.

> **Prepara** seis tazas de chocolate.
> **Come** toda la comida en tu plato.

> **Prepare** six cups of chocolate.
> **Eat** all the food on your plate.

- There are eight irregular affirmative **tú** commands. Their negative commands use the subjunctive form like other verbs.

	Affirmative	Negative
decir	**di**	**no digas**
hacer	**haz**	**no hagas**
ir	**ve**	**no vayas**
poner	**pon**	**no pongas**
salir	**sal**	**no salgas**
ser	**sé**	**no seas**
tener	**ten**	**no tengas**
venir	**ven**	**no vengas**

- Placement of object and reflexive pronouns with **tú** commands is the same as with **usted** commands.

> No **le des** chocolate al perro. **Dale** comida para perros.
> **Cómprala** cuando vayas al mercado.

> **Don't give** the dog chocolate. **Give him** dog food.
> **Buy it** when you go to the market.

6-27 Práctica. Complete los consejos que Isabel le da a su amiga que trabaja en un supermercado. Use mandatos informales de los verbos entre paréntesis.

1. Si no te pagan lo suficiente, _____ (pedirle) a tu jefe que te suba el sueldo.
2. No _____ (hablar) mal de tus compañeros de trabajo.
3. _____ (Conversar) con ellos durante los recesos (*breaks*) para conocerlos mejor.
4. Si alguno de ellos tiene mucho que hacer, _____ (decirle) que puedes ayudarlo.
5. Si todos van a una pizzería, _____ (salir) con ellos.
6. No _____ (quejarse) tanto, tienes muchos amigos que te quieren mucho.
7. Sobre todo, no _____ (quedarse) en casa todas las noches.
8. Pero si de verdad no soportas más tu trabajo, _____ (buscar) otro.

6-28 Consejos prácticos. Primera fase. Su compañero/a busca trabajo en un restaurante muy elegante y les pide consejo. Usen mandatos informales de los verbos de la caja para hacer una lista de cinco actividades que debe hacer su compañero/a. Después comparen su lista con la de otro grupo.

hablar	pedir	ponerse en contacto con…
ir	probar	preparar(se)
llamar	solicitar	vestirse

MODELO: *Lee los anuncios de trabajo en Internet.*

Segunda fase. Su compañero/a tiene una entrevista de trabajo en el restaurante de la *Primera fase*. Denle cinco consejos más para causar una buena impresión.

1. Qué ropa usar para la entrevista
2. Hora de llegada a la entrevista
3. Cómo reaccionar a las preguntas del entrevistador
4. Qué preguntar y qué no preguntar
5. Cómo despedirse apropiadamente

6-29 Las primeras impresiones. Primera fase. Su compañero/a de clase va a cenar en la casa de los padres de su novio/a por primera vez. Háganle unas recomendaciones. Usen los verbos de la caja para hacer mandatos formales.

ayudar	hablar
beber	hacer comentarios sobre…
comer	regalar
conversar	saludar
demostrar	ser atento/a/amable/cariñoso/a
despedirse	traer

MODELO: E1: *¿Qué puedo hacer para causar una buena impresión?*
E2: *Habla con los padres de tu novia. Escucha las anécdotas de su padre con mucho interés.*
E3: *Observa las fotos y haz preguntas sobre las escenas y las personas en ellas.*

Segunda fase. Ahora su compañero/a compartirá con la clase las mejores sugerencias que recibió de su grupo. Ayúdenle a explicar por qué piensan ustedes que son buenas sugerencias.

CULTURA

Todo el mundo quiere causar una buena impresión en una entrevista de trabajo, pues de esta entrevista depende en gran parte la decisión final. En los países hispanos, las entrevistas en las empresas tienden a ser bastante formales. Generalmente se usa el pronombre usted y los títulos de señor/a, señorita, don/ doña, licenciado/a, etc. para dirigirse al entrevistado. Es importante fijarse y respetar estos patrones de conducta para causar la mejor impresión posible.

ALGO MÁS

The equivalents of English *let's*

- There are two ways to express English *let's* + *verb* in Spanish: **vamos a** + *infinitive* and the **nosotros/as** form of the present subjunctive.

  Vamos a cenar pizza esta noche.
  Cenemos pizza esta noche.
  Let's have pizza tonight.

- When the **nosotros/as** form of the subjunctive is used as an equivalent of *let's* + *verb*, placement of object and reflexive pronouns is the same as with commands.

  Compremos esos mariscos frescos. → **Comprémoslos.**   *Let's buy them.*
  No compremos ese pescado añejo. → **No lo compremos.**   *Let's not buy it.*

- In affirmative sentences, reflexive verbs drop the final **-s** of the **nosotros/as** form of the subjunctive when the pronoun **nos** is attached.

  Modernicemos + nos → **Modernicémonos.**   *Let's modernize.*

6-30 ¡A comer bien para vivir más años! Intercambie ideas con su compañero/a sobre lo que ustedes van a hacer o no hacer para llegar a los 100 años con buena salud. Intercambien sus planes con otra pareja.

MODELO: Para mantener la salud
　　　　　E1: *Comamos vegetales y frutas todos los días.*
　　　　　E2: *Y no comamos comidas pesadas. Son difíciles de digerir.*

1. Para mantener activa la memoria
2. Para no engordar
3. Para sentirse felices
4. Para evitar la diabetes

6-31 Hagamos una campaña. Ustedes organizan una campaña en su universidad para promocionar la salud. Escojan uno de los siguientes temas y presenten sus ideas a la clase. Utilicen el equivalente de la expresión *let's* cuando sea posible.

MODELO: El estrés
　　　　　E1: *Generalmente los estudiantes viven con mucho estrés. A causa del estrés, duermen poco y se enferman fácilmente.*
　　　　　E2: *Tengo una idea. Hagamos una lista de sugerencias para reducir el estrés.*

1. La comida en las cafeterías
2. El ejercicio
3. Las actividades co-curriculares

A escribir

06-44

Estrategias de redacción: la exposición (continuación)

En este capítulo se continúa la práctica de la exposición. A continuación se presenta una síntesis de lo que usted debe hacer antes de escribir su texto.

- Determine el público que va a leer su texto.
- Determine el propósito de su texto.
- Seleccione los datos e información pertinentes y organícelos de forma lógica.
- Encuentre formas de atraer la atención de su público lector.

6-32 Análisis. Lea el siguiente texto expositivo sobre el efecto de la inmigración en la comida. Luego, siga las instrucciones a continuación.

La inmigración y la cadena de alimentación

La inmigración es un factor fundamental en la cadena de alimentación. En primer lugar, una parte significativa de la mano de obra de muchas economías proviene de la inmigración. Específicamente en la agricultura, los inmigrantes son indispensables tanto en las cosechas de recolección manual como en los trabajos permanentes, en el transporte y en la venta de frutas y vegetales.

Por otra parte, la creciente presencia de inmigrantes y su dispersión geográfica han estimulado la distribución de productos nuevos y han provocado cambios de hábitos alimenticios en la población. Así, en varias tiendas de comida ya se ven frutas y verduras poco comunes en la región o nuevas preparaciones de ciertos alimentos.

Es también notable el aumento de restaurantes especializados en los alimentos tradicionales de los países de origen de los inmigrantes. Sin duda, los restaurantes constituyen un mecanismo vital en la expansión de los alimentos étnicos. A estos restaurantes van cada vez más, además de los inmigrantes, ciudadanos del país anfitrión que propagan las diferentes culturas gastronómicas. Por otro lado, otros negocios relacionados con la comida, como las empresas de *catering*, incorporan en su carta especialidades extranjeras.

Al mismo tiempo, los inmigrantes están introduciendo rápidamente en su alimentación productos y platos de su nuevo país.

Este fenómeno altamente positivo está provocando una fusión de las culturas gastronómicas locales y las de los diversos países de origen de los inmigrantes. Es indudablemente uno de los efectos más afortunados de la *globalización*.

Marque (✓) la(s) respuesta(s) correcta(s).

1. El lector potencial de este ensayo es…
    _____ un público general. _____ un público experto.
2. El propósito del texto es…
    _____ explicar que los inmigrantes han influido negativamente en los hábitos alimentarios de los países donde se establecen.
    _____ afirmar que existe una influencia mutua positiva de costumbres alimenticias entre los inmigrantes y el país anfitrión.

3. Con respecto a la organización y la estructura del texto...

_____ hay una introducción, un desarrollo y una conclusión.

_____ hay una introducción y un desarrollo, pero no hay una conclusión.

_____ el autor conecta bien las ideas dentro de cada párrafo y entre ellos.

4. El autor usó ciertas expresiones para conectar las ideas entre los párrafos. Subráyelas.

5. Subraye las partes del texto en que el autor logra su propósito.

6. Marque (✓) las estrategias que usa el autor para lograr el interés del lector:

_____ Organiza la información de manera coherente e interesante.

_____ Presenta información y datos recolectados por una organización seria y confiable.

_____ Da ejemplos que el lector puede conocer.

6-33 Preparación. Ustedes van a escribir individualmente un artículo periodístico relacionado con temas alimentarios. En preparación hagan una lista de posibles titulares (_headlines_). Luego, escojan el mejor y respondan a las siguientes preguntas de la manera más detallada posible.

1. El titular que ustedes escogieron, ¿presentará una visión positiva o negativa de la influencia inmigrante en la comida autóctona? ¿Por qué?

2. ¿Qué ideas básicas deberá discutir este artículo?

3. ¿Pueden ustedes pensar en algunas preguntas centrales que este artículo deberá responder? Escríbanlas.

6-34 Más preparación. Ahora prepare un bosquejo que incluya por lo menos la siguiente información.

1. El titular de su artículo

2. El esqueleto de su artículo: número de párrafos y el contenido central de cada párrafo. Escriba palabras clave que incluirá en los párrafos de introducción, de desarrollo y de conclusión. Asegúrese de que el contenido de su texto se refleja en el titular.

3. Haga una lista de expresiones que lo/la ayudarán a lograr cohesión y transición dentro y entre los párrafos.

6-35 ¡A escribir! Utilizando la información que usted recogió en las actividades **6-33** y **6-34** escriba el artículo para los lectores de una revista.

6-36 ¡A editar! Ahora, lea su texto críticamente por lo menos una vez más y haga lo siguiente.

1. Analice el contenido: la cantidad y calidad de información para el lector/la lectora.

2. Revise la forma del texto:

   a. La cohesión y coherencia de las ideas

   b. Los aspectos formales del texto: la puntuación, acentuación, ortografía, mayúsculas, minúsculas, uso de la diéresis, etc.

3. Haga los cambios necesarios para lograr el efecto deseado en el lector/la lectora.

6-37 La producción de alimentos. Primera fase: Investigación. Hagan una investigación sobre uno de los problemas relacionados con la producción de alimentos en el mundo moderno. Tengan en cuenta, por ejemplo, la gran demanda de ciertos productos, las exigencias del transporte, los problemas de higiene, etc. Tomen notas e intercambien sus ideas.

Segunda fase: Preparación. Preparen una presentación oral sobre uno de los temas que investigaron en la *Primera fase*. Hagan un bosquejo para su presentación. Incluyan en su bosquejo un programa con al menos cinco recomendaciones para mejorar la producción y distribución de los productos alimenticios en el mundo.

MODELO: *Usemos pesticidas que no sean tóxicos.*

Tercera fase: Presentación. Hagan su presentación usando la información que ustedes prepararon en la *Segunda fase*. Describan las fotos que incluyan.

6-38 En su comunidad. Primera fase: Investigación. Busquen en Internet la página web de algún restaurante hispano que haya en su comunidad o cerca de ella. Averigüen los siguientes datos.

1. País de origen de la comida que se ofrece en el restaurante
2. Una lista de sus especialidades
3. Descripción de dos de sus especialidades
4. Ingredientes más comunes en las recetas del restaurante

Segunda fase: Preparación. Preparen una presentación sobre el restaurante, incluyendo una descripción de sus platos favoritos, sus ingredientes y la forma de preparar y presentar estos platos. Incluyan al menos cinco recomendaciones para enviarles a los dueños del restaurante.

MODELO: *Sirvan más patatas con la carne.*

Tercera fase: Presentación. Hagan su presentación usando la información que ustedes prepararon en la *Segunda fase*. Describan las fotos que incluyan.

Capítulo  6

la grasa	fat
el helado	ice cream
el huevo	egg
la miel	honey
el pastel	cake
el postre	dessert
el queso	cheese
el sabor	taste, flavor
la semilla	seed
el yogur	yogurt

Los cereales

el arroz	rice
el grano (integral)	(whole) grain
la harina	flour
el maíz	corn
el sésamo	sesame
el trigo	wheat

Los condimentos

el ají	(a type of) hot pepper
el ajo	garlic
el anís	aniseed
el azafrán	saffron
la canela	cinnamon
el clavo	clove
el comino	cumin
la especia	spice
el jengibre	ginger
la pimienta	pepper
la sal	salt
la vainilla	vanilla

Las frutas y las verduras

la aceituna	olive
la alcachofa	artichoke
la almendra	almond
la cebolla	onion
la lechuga	lettuce
la lima	lime
el limón	lemon
la naranja	orange
la patata/la papa	potato
el plátano	banana
el tomate	tomato
la uva	grape
la zanahoria	carrot

Las carnes y los pescados

la carne (molida)	(ground) meat
el ceviche	marinated raw fish
el cordero	lamb
el ganado	cattle
el marisco	seafood, shellfish
la parrillada	grilled meats
el pescado	fish
el pollo	chicken
el puerco/el cerdo	pork
la res	beef

Características

amargo/a	bitter
crudo/a	raw
dulce	sweet
espumoso/a	foamy
fresco/a	fresh
liviano/a	light
picante	hot (spicy)
salado/a	salty

Verbos

asar	to roast
cocinar	to cook
consumir	to consume; to eat
cortar en rodajas	to slice, to cut into slices
cultivar	to grow, to cultivate
envolver (ue)	to wrap
freír (i, i)	to fry
guisar	to cook
hornear	to bake
marinar	to marinate
probar (ue)	to taste
rellenar	to fill; to stuff

Las relaciones humanas

7

Objetivos comunicativos

- Analyzing and discussing human relations
- Describing and interpreting human behaviors
- Expressing opinions, doubts, and concerns about human relations

Contenido temático y cultural

- Family relationships
- Friendship
- Human behaviors in relation to social change

Vista panorámica

Como en muchas partes del mundo, la familia en los países de habla hispana está en un proceso de cambio. La mayor movilidad y los cambios en el tipo de vivienda hacen cada vez más difícil la supervivencia de la familia extensa tradicional, compuesta por abuelos, hijos y nietos y a veces también tíos, que comparten la misma vivienda.

El acceso de la mujer a la educación y al trabajo ha sido uno de los factores más importantes de cambio en las sociedades hispanas. El cambio de papel de la mujer —de ama de casa a mujer profesional— es una de las transformaciones más dinámicas de los países hispanos.

El mayor costo de la vida también influye en el número de hijos. Las familias hispanas ya no son tan grandes como antes; sin embargo, el cariño por los abuelos, tíos, primos, padrinos y madrinas todavía tiene mucha importancia.

Vista
panorámica

El crecimiento acelerado de las principales ciudades de España y América Latina ha producido verdaderas mega-ciudades. Tal es el caso de México, Madrid, Lima, Bogotá y Buenos Aires. En las grandes ciudades hay muchas desigualdades, tanto económicas como sociales. Los gobiernos locales deben solucionar problemas como el transporte, la calidad del aire y la seguridad de las personas.

Las relaciones románticas y las costumbres de los jóvenes en el mundo hispano también han cambiado mucho en las últimas décadas. En el pasado los jóvenes gozaban de menos libertad y era más difícil tener amistades con el sexo opuesto.

En general, la cultura hispana valora el ocio, que es considerado como el tiempo que podemos dedicar a nuestras amistades, ya sea viendo una película, una obra de teatro, tomando un café o simplemente conversando en un parque. A pesar de todos los cambios sociales, la amistad siempre es considerada un valor de gran importancia entre los hispanos.

A leer

07-01 to 07-10

Vocabulario en contexto

7-1 Asociación. Primera fase. Asocie los siguientes comportamientos (*behaviors*) con la(s) característica(s) personales. Más de una respuesta es posible.

1. _____ Un padrastro no permite que sus hijastros miren televisión.
2. _____ Alguien se siente infeliz cuando otros tienen algo que él o ella no puede tener.
3. _____ Una madre castiga a su hijo porque se comporta mal.
4. _____ Unos padres no aceptan a la pareja de su hijo.
5. _____ Alguien no tolera que su pareja converse con una persona del sexo opuesto.
6. _____ Alguien se irrita cuando su mejor amigo expresa una opinión con la que él no está de acuerdo.
7. _____ Alguien cancela una cita con su amigo/a porque de repente se le presenta un plan más interesante.
8. _____ Una madre nunca disciplina a sus hijos.

a. intolerante
b. permisivo/a
c. celoso/a
d. exigente
e. estricto/a
f. controlador/a
g. envidioso/a
h. impulsivo/a

 Segunda fase. Primero, escojan uno de los comportamientos de la *Primera fase*. Luego, preparen un breve guión y dramaticen la escena.

 7-2 Actitudes. Sigan las instrucciones para compartir una experiencia personal.

1. Describa a una persona con una o varias de estas características: celoso/a, intolerante, tolerante, impulsivo/a, envidioso/a, perfeccionista, individualista.
2. Cuente alguna anécdota relacionada con esta persona.
3. Explique su opinión sobre la actitud de esta persona.

 7-3 ¿Qué tipo de persona es usted? Primera fase. Preparen un cuestionario que les permita determinar si en su clase hay personas con las siguientes características: celosos, reservados, perfeccionistas excesivos, serviciales (*helpful*).

Segunda fase. Con el cuestionario que prepararon en la *Primera fase*, entrevisten a los miembros de otros grupos. Después, hagan lo siguiente:

1. Analicen la información que recolectaron. Incluyan el número de personas entrevistadas y el porcentaje que respondió afirmativa o negativamente a cada pregunta.
2. Preparen sus conclusiones como grupo. ¿Qué porcentaje de los entrevistados es celoso, reservado, perfeccionista excesivo, servicial?
3. Si no hay personas con tales características, ¿a qué conclusión llegó el grupo?

Estrategias de lectura

1. Infórmese sobre el tema antes de leer.
   a. Examine el formato de los textos. ¿Qué tipo de textos son? ¿Cómo lo sabe?
   b. Lea el título y los subtítulos. ¿Puede adivinar de qué tratan estas cartas? Léalas rápidamente para buscar algunas palabras que lo/la ayuden a decidir si tratan de asuntos personales (la amistad, el amor, problemas en el trabajo) o de asuntos impersonales (problemas de la comunidad, la política).
2. Examine el texto antes de leerlo.
   a. ¿A quién se dirigen las cartas, a un hombre o a una mujer? ¿Cómo lo sabe?
   b. ¿Quién(es) escribe(n) las cartas? ¿Una persona o varias personas? ¿Son hombres, mujeres o ambos? ¿Cómo lo sabe?
3. Anticipe el contenido del texto.
   a. Lea el comienzo (una o dos oraciones) de cada carta. Pase su marcador sobre estas oraciones y señale las palabras que están relacionadas con el tema de la carta o con alguna característica de la persona que escribe carta.

 LECTURA

El rincón de Minerva

💬 **Carta 1**

Querida Minerva:

Cuando me casé con mi segundo marido, él se comprometió a ocuparse de mi hija y a tratarla como si fuera su propia hija. Al principio su relación era buena. A
5 él le gustaba enseñarle juegos nuevos y se interesaba por todo lo que ella hacía o decía. Sin embargo, esto fue cambiando poco a poco. Ahora él interviene cada vez que mi hija no
10 se porta bien, y yo considero que sus castigos son demasiado duros y desproporcionados. Por ejemplo, si no arregla su cuarto, le prohíbe ver la televisión durante una semana. Por
15 supuesto, ella se rebela cada vez más y reacciona violentamente. Es más, creo que lo odia. Aunque mi hija ya tiene dieciséis años, él es muy exigente y no tolera algunos comportamientos propios de su edad. Él me acusa de ser demasiado permisiva y de no educar bien a mi hija. Naturalmente, todo esto crea conflictos entre nosotros y nuestra relación se va
20 deteriorando. Yo quiero salvar mi matrimonio, pero al mismo tiempo quiero que mi hija sea feliz. ¿Qué puedo hacer?

Una madre preocupada 💬

⚲ Pase su marcador por las dos primeras frases del texto. Basándose en las palabras *segundo marido, mi hija, al principio, relación . . . buena* y en la firma (*Una madre preocupada*) de la persona que escribe la carta, adivine el problema que tiene esta persona.

⚲ ¿Es demasiado permisivo o demasiado estricto el marido de la autora de la carta? ¿Qué cosas hace el marido?

👁️ Pase su marcador por las dos primeras oraciones del texto. Basándose en las siguientes afirmaciones *estoy casado, una mujer excepcional, razas y culturas diferentes* y en la firma (*Un desesperado*) de la persona que escribe la carta, adivine el problema que tiene esta persona.

💬 ¿Qué opina usted de la situación descrita por el autor de esta carta? ¿Por qué los padres de su novia no lo aceptan? En su opinión, ¿qué conflicto o problema tiene la mujer?

👁️ Anticipe el tema del texto. Pase su marcador por las tres primeras frases del texto. Fíjese en estas plabras clave: *chica de 20 años, universidad, malas notas, mi novio me ha dejado por otra.* Basándose en estas palabras y en la firma (*Una celosa perdida*) de la persona que escribe la carta, adivine el problema de la persona.

Carta 2

Querida Minerva:

Hace tres años que estoy comprometido con una mujer excepcional a la que conocí en la universidad. Somos de razas y culturas diferentes, pero eso nunca fue un problema entre nosotros. Es más, hemos aprendido a respetar y a disfrutar de las diferencias. Sin embargo, ella está muy unida a su familia, pero su familia no me acepta ni me ha aceptado nunca. Piensan que ella ha traicionado a su raza y a su cultura y me tratan como a un intruso. Yo sé que para ella es muy duro tener que soportar las críticas, pero para mí es humillante saber que me desprecian y que todos desearían verla con otro hombre. Para ella la familia es sagrada y por eso no puede ignorar sus opiniones. Yo deseo que se aleje de ellos o que por lo menos se haga respetar poniendo fin a sus críticas. Estoy desesperado porque me da la impresión de que puede dejarse influir por ellos y abandonarme un día. Realmente no sé qué hacer y le agradezco cualquier consejo que usted pueda darme.

25

30

35

40

Un desesperado 💬

45

Carta 3

Querida Minerva:

💬 Soy una chica de 20 años. Estudio y vivo en una universidad de prestigio, pero este año me han ido muy mal los estudios, he faltado mucho a clase, y creo que voy a recibir malas notas en varias asignaturas. La culpa de todo es que mi novio me ha dejado por otra. Cuando lo conocí, pensé inmediatamente que era el hombre de mi vida, y la verdad es que tuvimos una relación muy buena durante tres meses. Compartíamos gustos musicales, íbamos al cine y

50

55

60 nos relacionábamos con otros amigos. Pero un día me enteré—y no por él—de
que había invitado a otra chica a pasar un fin de semana en una cabaña que sus
padres tienen junto al lago. A mí me mintió y me puse furiosa. Fue muy duro
darme cuenta de su traición. Desde entonces todo fueron excusas y él se alejó de
mí mientras yo me moría de los celos. Los celos me han hecho hacer cosas muy

65 tontas, como pasarme la noche llorando y no poder ir a clase al día siguiente, y
peor que eso: insultar a la nueva novia de mi ex novio en la universidad, hacer
un escándalo considerable. Yo sé que uno pierde su dignidad cuando muestra
públicamente su rabia y sus celos, pero yo no sé qué hacer para controlarme. Por
favor, ayúdeme.

70 Una celosa perdida 🗨

? La autora de esta carta tiene dos problemas. En su opinión, ¿cuáles son?

Carta 4

Estimada Minerva:

🗨 Tengo ciertas ideas que
quisiera compartir con usted
y sus lectores, y que pongo a
continuación. Supongo que
75 todos nos hemos encontrado
en más de una ocasión con
una persona que asegura
constantemente que es nuestro
amigo, pero se comporta con
80 una mentalidad individualista.
Pues, eso es lo que más me
molesta de los "amigos" de hoy.
Tener amigos que solo piensan
en sus ideas, sus planes y sus posibilidades en vez de las del grupo es como no

? Pase su marcador por las dos primeras oraciones del texto. Basándose en las palabras *ciertas ideas, amigo, mentalidad individualista* y en la firma (*Un verdadero amigo*) de la persona que escribe la carta, adivine el problema que tiene esta persona. ¿Es diferente el tono de las primeras oraciones de esta carta del tono del principio de las otras cartas que ha leído?

85 tenerlos. Evidentemente la independencia y la iniciativa propia son importantes,
pero no deben ser más que las del grupo. Es importante pensar en las personas
que están alrededor de uno. Es más, los intereses y deseos personales se deben
acomodar a los del grupo, de lo contrario no tendríamos amigos.

Finalmente, quisiera comentar que hay ciertos individuos que confunden su
90 independencia con desconsideración hacia los demás. Vivimos en un mundo con
otros, no en una isla. No podemos vivir sin amigos y, para tenerlos, hay que
elegir entre *yo* y *nosotros*. Estoy seguro de que la mayoría de las personas que
tiene una mentalidad de grupo triunfará sobre la minoría inmadura y egoísta.
Ojalá que no olvidemos el significado de la palabra *amigo*.

95 Un verdadero amigo 🗨

? ¿Qué significa para el autor de esta carta ser un buen amigo? ¿Qué cosas hacen los que no son amigos de verdad?

Comprensión y ampliación

7-4 Comprensión. En sus propias palabras escriba una frase en la tabla que describa el tema o problema principal que se plantea en cada carta. Identifique dos consecuencias que se derivan del asunto o problema planteado e inclúyalas en la tabla.

Carta	Asunto/Problema	Consecuencia 1	Consecuencia 2
1.			
2.			
3.			
4.			

 7-5 Ampliación. Primera fase. Expliquen con otras palabras las siguientes ideas que aparecen en las cartas.

Carta 1. Nuestra relación se va deteriorando.
Carta 2. Me tratan como a un intruso.
Carta 3. Fue muy duro darme cuenta de su traición.
Carta 4. Los intereses y deseos personales se deben supeditar a los del grupo.

Segunda fase. Ahora piensen en otros contextos en que se podrían usar las afirmaciones de la *Primera fase* y compártanlos con la clase.

MODELO: *Tengo 18 años y mis padres no me comprenden. Ya no tenemos nada en común. Ellos me prohíben salir por la noche, pero a veces yo salgo. Nuestra relación se va deteriorando.*

 7-6 Conexiones. ¿Cuál de las siguientes sugerencias debería incluir Minerva en su respuesta a *Una celosa perdida* (Carta 3)? Hablen de las ideas y justifiquen su opinión. Luego, escriban la respuesta de Minerva en un breve párrafo.

1. _____ Es mejor que abandones tus estudios ahora, para no gastar el dinero de tus padres. ¿Por qué no buscas un trabajo? Con el tiempo, te sentirás mejor y podrás volver a la universidad el próximo semestre cuando tengas tu propio dinero.

2. _____ No dejes que los celos te consuman. Ve al Centro de Salud de tu universidad y pide cita con un psicólogo.

3. _____ La nueva pareja de tu ex-novio es una víctima de este chico, igual que tú. Hazte amiga de ella y trata de convencerla de que lo deje.

4. _____ Otra idea:

Aclaración y expansión

07-11 to
07-19

Reflexive verbs and pronouns

- True reflexive verbs express what people do *to* or *for* themselves. The reflexive pronouns that accompany these verbs refer back to the subject. Reflexive verbs always use reflexive pronouns.

Reflexive verbs

Cuando tiene una cita con su novia, mi hermano **se baña, se peina** y **se viste** muy bien para impresionarla.

*When he has a date with his girlfriend, my brother **bathes, combs** his hair, and **puts on** nice clothes to impress her.*

Non-reflexive verbs

Por la mañana, él **lava** el coche, lo **seca** y lo **limpia** por dentro.

*In the morning, he **washes** the car, **dries** it, and **cleans** it inside.*

Reflexive verbs and pronouns		
yo	**me lavo**	*I wash myself*
tú	**te lavas**	*you wash yourself*
él/ella	**se lava**	*he/she washes himself/herself*
Ud.	**se lava**	*you wash yourself*
nosotros/as	**nos lavamos**	*we wash ourselves*
vosotros/as	**os laváis**	*you wash yourselves*
Uds.	**se lavan**	*you wash yourselves*
ellos/ellas	**se lavan**	*they wash themselves*

LENGUA

When referring to parts of the body and articles of clothing, use the definite articles **el, la, los, las** instead of possessives (e.g., **mi, su**) with reflexive verbs.

Mi hermano **se lavó las** manos y **se puso la** chaqueta antes de salir.

*My brother **washed his** hands and **put on his** jacket before leaving.*

- Reflexive pronouns go before the conjugated verb. When a conjugated verb is followed by an infinitive or a present participle, either place the reflexive pronoun before the conjugated verb or attach it to the accompanying infinitive or present participle.

Nuestros invitados **se van a levantar** temprano.	*Our guests **are going to get up** early.*
Nuestros invitados **van a levantarse** temprano.	

- Other verbs in Spanish use reflexive pronouns in conveying mental and physical states. With these verbs, the reflexive pronouns do not necessarily convey the idea of doing something to or for oneself.

Me preocupo por mi familia.	*I **worry** about my family.*
Me sentí muy triste cuando recibí la noticia de la enfermedad de mi tío.	*I **felt** very sad when I heard the news about my uncle's illness.*
Según me dijeron, **se enfermó** la semana pasada.	*According to what they told me, he **got sick** last week.*

- Some verbs change meaning when used with reflexive pronouns.

acostar (ue)	*to put (someone) to bed*	**acostarse (ue)**	*to go to bed; to lie down*
bañar	*to bathe (someone)*	**bañarse**	*to take a bath*
despertar (ie)	*to wake someone up*	**despertarse (ie)**	*to wake up, awaken*
dormir (ue, u)	*to sleep*	**dormirse (ue, u)**	*to fall asleep*
ir	*to go*	**irse**	*to go away, leave*
levantar	*to raise, lift*	**levantarse**	*to get up; to stand up*
llamar	*to call*	**llamarse**	*to be called*
poner	*to place, to put*	**ponerse**	*to put on clothing*
llevar	*to carry, to wear*	**llevarse**	*to get along (with someone)*
quitar	*to take away*	**quitarse**	*to remove, take off (one's clothing)*
vestir (i, i)	*to dress (someone)*	**vestirse (i, i)**	*to get dressed*

7-7 Práctica. Una madre soltera describe sus actividades de un día típico. Complete su narración con el verbo adecuado y la forma correcta según el contexto.

Durante la semana, yo (1) _____ (levantar/levantarse) tan pronto suena el despertador. Luego, (2) _____ (duchar/ducharse), busco mi ropa y (3) _____ (vestir/vestirse). Cuando estoy lista, preparo a Laurita. Yo la (4) _____ (despertar/despertarse) a las siete y media. Ella (5) _____ (lavar/lavarse) la cara y yo la (6)_____ (vestir/vestirse) porque Laurita sólo tiene cinco años. Las dos desayunamos rápidamente, (7) _____ (lavar/lavarse) los dientes y salimos de la casa.

A eso de la una recojo a Laurita y regresamos a casa. Mientras ella juega en su cuarto, yo preparo la cena y algunos días (8) _____ (lavar/lavarse) la ropa. Antes de comer, yo (9) _____ (bañar/bañarse) a Laurita. Después de la cena, yo la (10) _____ (acostar/acostarse) en su cama y le leo un cuento. Nuestros fines de semana son más divertidos.

7-8 Para conocerse mejor. Háganse preguntas para hablar sobre sus emociones y su personalidad, y así conocerse mejor. Luego, escriba un breve resumen de las semejanzas y diferencias entre ustedes para compartir con la clase.

MODELO: Sentirse triste
      E1: *En general, ¿cuándo te sientes triste?*
      E2: *Me siento triste cuando peleo con alguien. ¿Y tú?*
      E1: *Pues yo me siento triste cuando no puedo salir con mis amigos los fines de semana porque tengo mucha tarea.*

1. sentirse frustrado/a
2. preocuparse
3. ponerse contento/a
4. ponerse nervioso/a
5. enfadarse
6. ponerse de mal humor

7-9 Antes y ahora. Háganse preguntas sobre lo que hacían en el pasado y lo que hacen ahora en relación a lo siguiente. Expliquen los cambios y los motivos de esos cambios.

Actividades	Cuando éramos pequeños/as	Ahora
1. a qué hora se despertaban durante la semana		
2. tipo de ropa que se ponían		
3. cómo se entretenían		
4. cuándo se preocupaban		
5. por qué se enojaban		
6. cuándo se quejaban		

MODELO: *Durante la semana, mis amigos y yo nos despertábamos a las seis porque las clases empezaban a las siete y media. Ahora, nos despertamos mucho más tarde, como a las nueve o las diez.*

7-10 Perfil compatible. Primera fase. Ustedes buscan un compañero/una compañera de apartamento con hábitos compatibles con los de ustedes. Describan el perfil de la persona que buscan. Sigan el modelo y usen por lo menos seis verbos de la lista.

acostarse	entretenerse	preocuparse	relajarse
despertarse	lavarse	quejarse	sentirse cómodo/a con ...
enfadarse	levantarse	relacionarse bien con ...	vestirse

MODELO: *Nuestro compañero/a ideal se ducha por la noche porque nosotros/as nos duchamos por la mañana y el apartamento tiene solamente un baño.*

Segunda fase. Ahora compartan el perfil de su compañero/a ideal con otra pareja. Comparen las semejanzas y diferencias entre la persona que ustedes buscan.

1. ¿Buscan ustedes características semejantes o diferentes en su compañero/a ideal?
2. ¿Qué hábitos o costumbres de una persona pueden afectar la relación entre los/las compañeros/as que comparten un apartamento?
3. ¿Tienen ustedes en su grupo hábitos o costumbres compatibles? ¿Cuáles?

7-11 ¿Cómo se comportan generalmente? Primera fase. Escriban algunas acciones que en general caracterizan el comportamiento de los siguientes tipos de personas. Usen los verbos de la lista u otros de su preferencia. Observen el modelo.

acostarse	enojarse	expresarse	obsesionarse
despertarse	esforzarse	levantarse	preocuparse
dormirse	estresarse	llevarse bien/mal	quejarse

1. Los perezosos	*Jamás se levantan temprano.*
2. Los atléticos	Se levantan pesas Se preocupan los partidos
3. Los pacificadores	No se enojan, son muy tranquilo.
4. Los dormilones	Se duermen para muchas horas y se despertan tarde
5. Los cínicos	Se preocupan con las ideas de otras personas
6. Los intolerantes	Se expresan las ideas muy viejas
7. Los ambiciosos	Se obsesionan con los trabajos o el próximo cosa
8. Los envidiosos	

Segunda fase. Ahora identifiquen dos tipos de personas mencionadas en la *Primera fase* que no son compatibles, según ustedes. Expliquen por qué.

Modelo: *Los cínicos no son compatibles con los sinceros. A los cínicos no les importa mentir. Sin embargo, los sinceros generalmente se enfadan cuando escuchan mentiras.*

Ventanas al mundo hispano

El compadrazgo

Antes de ver

7-12 El mundo de nuestras relaciones. Clasifique a las siguientes personas según la relación que tienen con usted. ¿Son parte de su mundo familiar (**F**), de su círculo de amigos (**A**), de su vida profesional (**P**) o de su comunidad (**C**)?

❶ ____ su tío/a

❷ ____ su compañero/a de clase

❸ ____ su médico/a

❹ ____ su profesor/a de español

❺ ____ su vecino/a

❻ ____ su novio/a o esposo/a

Mientras ve

7-13 ¿Cierto o falso? Indique si las siguientes afirmaciones son ciertas (**C**) o falsas (**F**) según la información que aparece en el video. Si la respuesta es falsa, dé la información correcta.

❶ ____ El compadrazgo es una relación de sangre.

❷ ____ Normalmente, alguien se transforma en padrino o madrina durante el bautismo del bebé.

❸ ____ A veces, los padrinos deben apoyar económicamente a sus ahijados.

❹ ____ Padres y padrinos se vuelven compadres.

❺ ____ El vínculo más importante entre ahijados y padrinos es el bautismo.

❻ ____ Los ahijados deben vivir con los padrinos después del bautismo.

Después de ver

7-14 Decisiones importantes. Primera fase. Elegir a los padrinos de sus hijos es una gran responsabilidad. Indique si las siguientes consideraciones son morales (**M**), económicas (**E**), políticas (**P**) o de personalidad (**PE**).

❶ _____ Sus creencias religiosas

❷ _____ Su sentido del humor

❸ _____ Sus convicciones políticas

❹ _____ Su puntualidad

❺ _____ Sus ambiciones profesionales

❻ _____ Sus gastos mensuales

Segunda fase. Hagan una lista de preguntas para entrevistar a posibles padrinos o madrinas (sus compañeros/as) para sus hijos. Incluyan preguntas sobre los valores morales, la orientación política, la solvencia económica y la personalidad de los entrevistados. Elijan a una madrina y a un padrino y defiendan su elección.

A Leer

Vocabulario en contexto

7-15 Preparación. Primera fase. Lea el siguiente relato del esposo de una paciente que fue atendida de emergencia. Diga si la afirmación indicada en negrita se refiere a la condición de una persona (**CP**), a una descripción del hospital (**DH**) o a un tratamiento médico o un procedimiento administrativo (**TMP**).

Lucía, mi esposa, sufrió un **infarto** por lo tanto fue **ingresada** en el hospital. En camino a la sala de emergencia, Lucía parecía **frágil** y su salud era muy **inestable**. Al llegar al hospital, todos corrimos por los pasillos blancos, impecables, **asépticos**, como desinfectados con cloro. Los enfermeros la conectaron a unas máquinas y **aplacaron** sus dolores. Después de estabilizar a Lucía, la **inquietud** de los médicos se disipó. En unos días, mi esposa se **recuperó**. Para disminuir posibles **altibajos** en el proceso de recuperación, los médicos le han recomendado **seguir una dieta** estricta y ejercicio diario.

1. infarto _____	6. aplacaron _____
2. ingresada _____	7. inquietud _____
3. frágil _____	8. recuperó _____
4. inestable _____	9. altibajos _____
5. asépticos _____	10. seguir una dieta _____

Segunda fase. Ahora asocie las palabras de la *Primera fase* con sus definiciones.

1. ___ infarto	a. débil	
2. ___ ingresada	b. calmar, tranquilizar	
3. ___ frágil	c. ataque	
4. ___ pasillo	d. mejorarse, volver a un estado de normalidad	
5. ___ asépticos	e. hospitalizada	
6. ___ aplacar	f. intranquilidad	
7. ___ inquietud	g. cambios, variaciones	
8. ___ recuperarse	h. corredor	
9. ___ altibajos	i. esterilizados, desinfectados	
10. ___ seguir una dieta	j. consumir alimentos según un plan alimenticio	

7-16 ¡Contigo, en las buenas y en las malas (*in good times and in bad*)!

Primera fase. Marque (✓) las afirmaciones que describen las relaciones que usted tiene con sus amigos.

1. __✓__ Si mi amigo/a se siente animado/a, es decir, está alegre, con energía, me gusta pasar tiempo con él o ella.
2. __✓__ Mis amigos y yo somos inseparables. Cuando estamos juntos irradiamos felicidad.
3. __✓__ Nuestro cariño y respeto mutuos han alargado nuestra amistad a través de los años.
4. __✓__ Cuando uno de nosotros se enfada, los otros aplacamos su ira con humor.
5. _____ Cuando estamos fatigados, nos pegamos al televisor por largas horas.

6. ___✓___ Todos tenemos altibajos en la vida, pero siempre apoyamos a los amigos en las buenas y en las malas.

7. _____ Si uno de nosotros siente inquietud por algo, nos reunimos con nuestro amigo para tomar decisiones por él.

8. _____ Nuestra amistad representa un lazo o unión frágil que se puede romper en cualquier momento.

 Segunda fase. Escriba un párrafo respondiendo a cada una de las siguientes preguntas sobre su experiencia de la amistad, y compárelo con el de su compañero/a.

1. ¿Ha tenido usted relaciones estables con sus amigos o ha tenido altibajos en su relación con ellos?

2. Cuando han tenido altibajos, ¿cómo han resuelto sus problemas o diferencias?

3. Según usted, ¿cómo se mantienen las amistades a través del tiempo?

 7-17 Una amistad duradera. Hablen de un amigo/una amiga que ustedes conocieron durante la escuela primaria o secundaria y cuya amistad han mantenido hasta el presente. Incluyan como mínimo la siguiente información:

1. Fecha en que lo/la conocieron

2. Las circunstancias del encuentro

3. Las primeras impresiones que tuvieron el uno del otro/la una de la otra

4. Una experiencia que afianzó (*strengthened*) su amistad

Estrategias de lectura

1. Infórmese sobre el tema antes de leer.
   a. El cuento trata de la amistad profunda entre dos mujeres. Lea el título. ¿Cuál es la relación entre las hojas perennes y la amistad?
   b. Piense en la amistad y en las etapas de la vida. ¿Cuál es el valor de una amistad entre los niños? ¿Y el valor de una amistad entre adultos que ha durado por muchos años?

2. Examine el texto antes de leerlo.
   a. Lea el primer parrafo. ¿Dónde está la narradora? ¿Por qué está allí?
   b. Examine el texto rápidamente para buscar los nombres de los personajes. Pase su marcador por los nombres.
   c. Fíjese en el comienzo del diálogo entre los dos personajes principales. ¿Cómo se llaman? ¿Cuál de ellas está en el hospital?

⌃ Olga Fuentes, escritora española

CULTURA

Olga Fuentes (Sabadell, 1974) es una escritora española especializada en el relato corto. Licenciada en filosofía, ha ganado premios literarios escolares desde la infancia y sus relatos han aparecido en diversas publicaciones literarias. En la actualidad prepara la edición de su primera novela. Su interés por los conflictos en las relaciones humanas la convierte en una autora cuyo valor más destacado es la sensibilidad con la que aborda las emociones humanas con gran capacidad de síntesis expresiva.

LECTURA

Las hojas perennes
Olga Fuentes

El primer párrafo tiene mucha información importante. Al leer, busque la siguiente información: (a) el nombre de la persona hospitalizada, (b) la enfermedad que tiene, (c) si la persona que visita es hombre o mujer, (d) la relación del/de la visitante con la persona enferma.

Fíjese en la descripción del hospital. ¿Qué impresión le causa a la narradora?

¿Por qué está temblando la narradora (Irene)? ¿Cómo se siente, y por qué?

En este párrafo Irene hace una comparación entre su relación con Marta y sus relaciones amorosas (novios, amantes). ¿Cuál es la diferencia principal?

Sin medir la importancia de algo así, en el ascensor del hospital pensé que Marta y yo habíamos sido amigas durante más de media vida. Habitación 216. Allí me habían dicho que estaba Marta ingresada. A los treinta y nueve años se recuperaba de un infarto. Un aviso de la muerte.

Los pasillos de los hospitales son tan hostiles como su olor, sus asientos, sus 5 camas y sus paredes asépticas. Las puertas entreabiertas de las habitaciones me producen inquietud. Por ellas se percibe la indignidad de estar enfermo en estos tiempos en los que los avances médicos pueden alargarte la vida aunque seas un fantasma viviente.

— ¿Marta?   10

— ¡Irene! ¿Pero qué haces aquí? No deberías haber venido.

— ¿Cómo estás?

— Bien... supongo. Creo que en una semana voy a salir del hospital.

Me acerqué a mi amiga temblando; me parecía tan frágil como un papel mojado. Le di un beso en la mejilla y tomé su mano.   15

— Ya ves, aquí estoy, quién lo iba a pensar hace dos días. A partir de ahora no sé qué va a pasar conmigo.

— ¿Qué tiene que pasar? ¡Nada! Tendrás que cuidarte un poco más, y los demás también tendremos que cuidarte. Por cierto, ¿y Álvaro?

— Ha bajado a comer algo. Lleva pegado a esta cama más de veinticuatro horas. 20 Pobre...

Vi en la mirada de Marta un brillo que nunca había visto antes. Sus ojos me daban la misma seguridad que siempre, pero irradiaban más vida que nunca. Comprendí entonces, al mirar el fondo de sus ojos, la importancia de la amistad. Aquella mujer frágil era fundamental en mi vida. Yo había dejado a tantas personas 25 por el camino, traiciones, novios, amantes... Sólo Marta permanecía en mi vida después de tantos años.

— ¿Y Ester? —preguntó.

— Con su padre. Te manda un "besito". Quería venir a verte, pero ya le he dicho que los niños no pueden ir a los hospitales.   30

— Dile que cuando me den de alta iremos a la playa, se lo prometí antes de entrar aquí.

— Claro, no te preocupes por eso ahora.

💬 Supe entonces que Marta iba a estar siempre a mi lado. Durante todos estos
35 años me había equivocado tantas veces que no podía creer que ella me apoyara
en todos esos errores. Pienso que si yo hubiera asesinado a alguien tampoco me
habría juzgado[1]. Era como las hojas de esos árboles siempre brillantes y verdes a
pesar de la lluvia, del frío o del viento. Otras habían caído a lo largo de los años
dejando las ramas desnudas, dañadas y solas. 💬

40 — ¿Quieres que te traiga algo de la cafetería?

— No, no me dejan. Ahora tengo que seguir una dieta estricta durante algún
tiempo. Voy a ser una de esas personas aburridas que no pueden salir a cenar,
que no pueden hacer casi nada.

— No exageres, mujer. Además, podemos ir a cenar al restaurante vegetariano,
45 ese que tanto nos gusta.

— Sí, claro, qué remedio.

— Vamos a hacer muchas cosas, ya verás.

— Seguro.

Recordaba cuántas veces me había animado Marta a mí. Hasta hacía unos años, la
50 más inestable de las dos había sido yo. Siempre con altibajos que Marta aplacaba
con esa calma que tan bien me venía.

— Bueno, tengo que irme. Le prometí a Ester que llegaría para acompañarla a
la cama.

— Claro, vete ya. Dale un beso muy grande de mi parte.

55 — Se lo daré. Mañana, cuando la deje en el colegio, vengo a verte.

— Como quieras, la verdad es que me viene bien hablar contigo un rato.

— Hasta mañana. Descansa.

— Adiós.

Le di un beso en las manos; fue un acto sin pensar. Ella me sonrió, siempre me
60 había dicho que quien te besa las manos es que está dispuesto a hacer cualquier
cosa por ti. Desde luego, en aquel momento yo lo hubiese hecho por ella[2].

El día, antes soleado y cálido, se había cubierto por unas nubes densas y oscuras,
que amenazaban con lluvia. Sentía que yo también me recuperaba de un infarto.
Tenía ganas de llegar a casa, de abrazar a Ester. Cuando pensaba en mi vida me
65 parecía mentira la estabilidad conseguida a pesar de tantos problemas. Javier y
yo llevábamos juntos siete años, el tiempo necesario para no poder concebir la
vida sin el otro, pero dudo que el amor sea suficiente para compensar el valor de
una verdadera amistad.

---

[1]*even if I had killed someone, she wouldn't have judged me*
[2]*I would have done anything for her*

❓ ¿Qué visión de la amistad expresa Irene en este párrafo?

❓ ¿Qué simbolizan "las hojas de esos árboles siempre brillantes y verdes" que se mencionan? Si no sabe, vuelva a leer el párrafo.

Comprensión y ampliación

7-18 Comprensión. Conteste las preguntas según la información de la lectura.

1. ¿Por qué está Marta en el hospital?
2. ¿Qué le parece "indigno" a Irene?
3. ¿Quién es Álvaro, probablemente?
4. ¿Por qué es Marta tan importante para Irene?
5. ¿Quién es Ester?
6. ¿Qué hizo Marta por Irene todos estos años?
7. ¿Por qué le dice Irene a Marta que no exagere?
8. ¿Qué piensa Irene sobre la amistad?

 7-19 Ampliación. Hablen del tema de la amistad guiándose por los siguientes puntos:

1. Las cualidades que más valoran en sus amigos/as. ¿Cuáles son? ¿Por qué las aprecian?
2. Las amistades más antiguas que tienen. ¿Quiénes son? ¿Cómo comenzaron?
3. Las diferencias entre una relación de amistad de una relación amorosa. ¿Pueden coincidir en la misma persona? ¿Por qué?
4. La diferencia entre sus relaciones de amistad y sus relaciones familiares. ¿Hay cosas que comparten con los amigos pero no con la familia? ¿Qué cosas?

 7-20 Conexiones. Lean las siguientes citas y expliquen su interpretación de ellas. Luego, digan si están de acuerdo o no, y por qué.

1. "La amistad siempre es provechosa, pero el amor a veces es perjudicial". Seneca (2 A.C.–65), filósofo romano.
2. "Cada uno muestra lo que es en los amigos que tiene". Baltasar Gracián (1601–1658), escritor español.
3. "La verdadera amistad es una planta de desarrollo lento". George Washington (1732–1799), presidente de Estados Unidos.
4. "La amistad termina donde la desconfianza empieza". Proverbio español.

 # A escuchar

7-21 Los temas controvertidos y las relaciones humanas. Escuche a dos estudiantes hablar sobre el uso de símbolos religiosos en las escuelas estatales. Luego indique si las siguientes afirmaciones son ciertas (**C**) o falsas (**F**).

1. _____ Francia ha aprobado una ley que no tolera el uso de emblemas religiosos en los colegios.
2. _____ Los europeos han reaccionado de forma positiva a esta ley.
3. _____ Clara nunca usó un crucifijo (*crucifix*).
4. _____ Varias escuelas estatales ya han obligado a sus estudiantes a usar uniformes.
5. _____ Los miembros de grupos religiosos se sienten discriminados.
6. _____ Las mujeres de varias religiones tienen derechos similares a los hombres.

7-22 Una polémica. Piensen en dos temas polémicos que pueden alterar las relaciones de los miembros de su comunidad. Primero, completen la tabla, siguiendo el modelo. Luego, discutan cómo se sienten estos grupos y de qué se preocupan.

Tema polémico	Grupo afectado	Consecuencias
Precio de la gasolina	*Los estudiantes*	*No pueden visitar a sus familias los fines de semana.*

 # Aclaración y expansión

07-32 to 07-43

Present subjunctive with expressions of doubt and denial

- When the verb in the main clause expresses doubt or uncertainty, always use a subjunctive verb form in the dependent clause.

Main clause	Dependent clause
Irene **duda**	que su amiga **salga** del hospital pronto.

Expressions of doubt, uncertainty, and denial			
dudar	to doubt	no es cierto, no es verdad	it's not true
negar	to deny	es imposible	it's impossible
no creer/no pensar	not to believe	es improbable	it's improbable/unlikely
no estar seguro/a	not to be sure	(no) es posible	it's (not) possible

Álvaro **niega** que su mujer **esté** muy enferma.

Álvaro denies that his wife is very sick.

No cree que **tenga** que cambiar su estilo de vida.

He does not believe that she has to change her lifestyle.

Es posible que Marta **se recupere** totalmente.

It is possible that Marta will recover completely.

No es cierto que **sea** un proceso fácil.

It is not true that it will be an easy process.

LENGUA

The subjunctive is normally used with the expressions **tal vez** and **quizás** since they convey uncertainty.

Tal vez/Quizás
Ester **hable** con su madre por teléfono mañana.

Perhaps
Ester **will talk** with her mother on the phone tomorrow (but it's not likely).

- Use the indicative in a dependent clause when there is no doubt or uncertainty in the main clause.

Expressions of certainty			
creer, pensar	to believe, think	es cierto/seguro	it's certain
no dudar	not to doubt	es verdad	it's true
estar seguro/a (de)	to be sure	es obvio	it's obvious

Marta **piensa** que Irene **es** una amiga muy fiel.

Marta thinks that Irene is a very faithful friend.

Está segura de que **puede** contar con ella.

She is sure that she can count on her.

Es obvio que las dos amigas **se quieren** mucho.

It is obvious that the two friends love each other a lot.

Es verdad que **tienen** una profunda amistad.

It is true that they have a deep friendship.

7-23 Práctica. Isabel reflexiona sobre los problemas que tiene con sus amigos. Complete las oraciones con la forma correcta del verbo.

1. Dudo que Alejandro y Silvia me _llamen_ (llamar) para salir con ellos.
2. Es obvio que ellos no _quieren_ (querer) pasar tiempo conmigo.
3. Mi compañera de cuarto piensa que Silvia _está_ (estar) celosa.
4. Pero esto es ridículo. Es imposible que yo _tenga_ (tener) interés romántico en Alejandro.
5. Dudo que esta _sea_ (ser) la razón.
6. Es posible que yo no le _caiga_ (caer) bien a Silvia.
7. Tal vez Silvia _esté_ (estar) enojada con nosotras porque no la invitamos a nuestra fiesta.
8. No creemos que a Silvia le _gusten_ (gustar) nuestras fiestas porque no le gusta bailar.
9. Mi compañera de cuarto piensa que yo _debo_ (deber) invitarla a cenar en mi casa.
10. Es cierto que _es_ (ser) una buena idea, pero no tengo ganas de hacerlo.

7-24 Un amigo mentiroso. Andrés nunca dice la verdad. Exprese las dudas que tiene usted sobre lo que Andrés dice. Use las expresiones entre paréntesis para responder.

1. Me levanto a las cinco todas las mañanas para estudiar. (no creer)
2. Corro diez millas antes de asistir a mis clases. (no ser verdad)
3. Mis padres tienen una casa en Costa Rica. Está en la playa. (ser improbable)
4. Mi tío trabaja en la Casa Blanca. (dudar)

5. Dos de mis amigos del colegio juegan para los Calcetines Rojos de Boston. (no pensar)

6. Estoy diseñando una nave espacial (*spaceship*) para viajar a la Luna. (ser imposible)

 7-25 ¿Qué ocurre en una amistad? Marque (✓) en la columna correspondiente las actividades que ocurren o no en una buena amistad. Después, intercambien opiniones, utilizando algunas expresiones de la caja. Finalmente, individualmente escriban una breve descripción de lo que significa un buen amigo e intercámbienla entre ustedes. ¿Están de acuerdo o no? ¿Por qué?

Para indicar acuerdo	Para demostrar desacuerdo
Es probable que...	(No) creo que...
Por supuesto, es evidente que...	Dudo que...
Sí, es probable que...	No estoy de acuerdo, es improbable que...
Tiene(s) razón, creo que...	¡Qué va! Es imposible que...

MODELO: El buen amigo se preocupa por sus amigos.
    E1: *Yo pienso que el buen amigo se preocupa por sus amigos.*
    E2: *Estoy de acuerdo, pero no creo que deba tratar de controlarlos.*

	Sí	No
1. Hay una confianza (*trust*) absoluta entre los amigos.	✓	
2. El buen amigo aprueba todo lo que su amigo hace.	✓	
3. Los amigos pueden pedir favores y ayuda en cualquier momento.	✓	
4. El buen amigo da consejos solamente cuando sus amigos se los piden.	✓	
5. El buen amigo está obligado a salir con sus amigos todos los fines de semana.		✓
6. El buen amigo invita (*pays for*) a sus amigos cuando los amigos no tienen dinero.	✓	
7. Los buenos amigos llaman por teléfono todos los días.		✓
8. El buen amigo conoce bien a la familia de sus amigos.		

 7-26 La sociedad en que vivimos. Túrnense para opinar sobre los siguientes temas. Deben dar su opinión y justificarla.

MODELO: Las oportunidades de trabajo para el hombre y la mujer
    E1: *Yo creo que existen las mismas oportunidades de trabajo para el hombre y la mujer. Ya no hay discriminación de género.*
    E2: *No creo que las mujeres tengan las mismas oportunidades que los hombres. Por ejemplo, hay menos mujeres en la política.*

1. Los efectos de los teléfonos celulares en la comunicación entre amigos y familiares
2. Los efectos de la televisión y los videojuegos en la conducta de los jóvenes
3. Los requisitos en los programas universitarios
4. El costo de asistir a la universidad en tiempos de crisis
5. El efecto de la separación de los padres por motivos de trabajo
6. La propuesta de pagar un seguro de salud para las personas sin recursos

7-27 En el siglo XXII. Primera fase. Clasifique las siguientes predicciones para la sociedad del futuro de acuerdo con el grado de certeza, posibilidad o probabilidad de que ocurran, según usted.

Predicciones	Seguro	Probable	Posible	Dudoso	Imposible
1. Los robots nos van a sustituir en las tareas de casa.					
2. Las computadoras van a tener funciones insospechadas.					
3. La ropa va a tener sensores especiales para adaptarse al clima.					
4. Todas las personas van a colaborar para erradicar la pobreza en el mundo.					
5. Va a haber paz entre todas las naciones.					
6. El euro va a ser la moneda mundial.					

Segunda fase. Comparen sus respuestas y discutan entre ustedes las predicciones.

Modelo: Vamos a usar robots para hacer todas las tareas domésticas.
E1: *Es seguro que muy pronto muchas personas van a usar robots para las tareas domésticas. Ya hay un robot a la venta que limpia la casa.*
E2: *No, no lo creo. No estoy de acuerdo contigo. Es imposible que los robots hagan todas las tareas domésticas. Las personas no van a permitir que un robot tome decisiones sobre, por ejemplo, el menú de la familia.*

7-28 Los problemas en las relaciones personales. Primera fase. Seleccionen entre las palabras de la caja aquellas que se refieren a sentimientos que perjudican (*harm*) las relaciones personales.

Sentimientos	
el amor	la generosidad
el cariño	el individualismo
los celos	el odio
la competencia	la solidaridad
el egoísmo	la superioridad

Segunda fase. Analicen el efecto que puede tener **uno** de esos sentimientos en las relaciones interpersonales. Usen las siguientes preguntas como guía para su análisis.

1. ¿Qué es importante que hagan las personas cuando encuentran a individuos que expresan el sentimiento que ustedes escogieron?
2. ¿Qué es posible que hagan los individuos cuando se dan cuenta de que ellos mismos expresan ese sentimiento?
3. ¿Qué es probable que hagan, o que puedan hacer, las personas que conviven con esta persona?

ALGO MÁS

Reciprocal verbs

- Use the plural reflexive pronouns **nos**, **os**, and **se** to express reciprocal actions. In English, these actions are usually expressed by using the phrase *each other* or *one another*.

Cuando **se saludan**, los hombres **se dan** la mano o **se abrazan;** las mujeres generalmente **se besan**.	*When **greeting each other**, men **shake** hands or **embrace**; women generally **kiss**.*
Mis amigas y yo **nos llamamos** frecuentemente durante el día. **Nos mandamos** mensajes de texto también.	*My friends and **I call each other** frequently during the day. We also **send each other** text messages.*

- It is usually clear from the context whether the speaker intends a reflexive or a reciprocal meaning. When clarification is needed, the expressions **a sí mismos** or **a nosotros mismos** are used to signal reflexive action, and expressions like **mutuamente** and **unos a otros** indicate reciprocal action.

Nuestros primos lejanos se conocen **unos a otros**, pero no se escriben.
*Our distant cousins know **each other**, but they don't write to **each another**.*

Nuestras primas Carla y Camila tienen muy mala memoria. Se escriben mensajes **a sí mismas** para recordar sus horarios.
*Our cousins Carla and Camila have very poor memories. They write messages **to themselves** to remember their schedules.*

7-29 Los signos de la amistad. Primera fase. Indique (✓) si los buenos amigos/las buenas amigas en general hacen lo siguiente. Luego, compare sus respuestas con las de su compañero/a.

	Sí	No
1. Ayudarse en los momentos difíciles		
2. Llamarse frecuentemente		
3. Prestarse dinero en caso de necesidad		
4. Criticarse a menudo		
5. Darse consejos cuando los necesitan		
6. Contarse detalladamente sus actividades diarias		
7. Visitarse con frecuencia los fines de semana		
8. Pelearse por cosas sin importancia		
9. Felicitarse el día del cumpleaños		
10. Mandarse mensajes electrónicos		

 Segunda fase. Ahora preparen una lista de las seis actitudes que consideran más importantes para mantener unas buenas relaciones entre amigos. Expliquen por qué. Después, comparen su lista con las del resto de la clase.

MODELO: Saludarse con cariño

E1: *Creo que saludarse con cariño es importante porque hay que demostrarles afecto a los amigos.*

E2: *Tienes razón, creo que los amigos deben darse la mano o abrazarse.*

 7-30 Reciprocidad. Primera fase. Marque (✓) cómo se demuestran reciprocidad usted y su mejor amigo/a. Después, compare sus respuestas con las de otro/a estudiante.

1. _____ Nos invitamos a salir.
2. _____ Nos preocupamos el uno/la una por el otro/la otra, especialmente en momentos difíciles.
3. _____ Nos perdonamos después de una discusión fuerte.
4. _____ Nos regalamos cosas con frecuencia.
5. _____ Nos dedicamos tiempo mutuamente.
6. _____ Nos visitamos aunque vivimos lejos.
7. _____ Nos toleramos las diferencias de gustos.
8. _____ Nos comunicamos de diversas maneras constantemente.

 Segunda fase. Añada tres actitudes o comportamientos que usted comparte con sus amigos y compárelos con los de su compañero/a.

7-31 Consejos para la felicidad de una pareja. ¿Qué consejos le darían ustedes a una pareja que comienza su relación y quiere mantenerse unida para siempre? Digan dos cosas que es bueno que hagan y dos que no es bueno que hagan. Usen los verbos de la siguiente lista.

apoyarse	comunicarse	quererse
ayudarse	criticarse	regalarse
comprenderse	gritarse	respetarse

MODELO: decirse

E1: *En mi opinión, es bueno que se digan siempre la verdad. Las mentiras pueden destruir una relación.*

E2: *Tienes razón, no es bueno que se digan mentiras. Y también es importante que se respeten el uno al otro.*

A escribir

07-44

Estrategias de redacción: la exposición (continuación)

En este capítulo continuamos la práctica de los textos expositivos. Para una síntesis de lo que usted debe hacer antes de escribir su texto, vea la página 173.

7-32 Preparación. Primera fase. Lea una vez más las cartas en "El rincón de Minerva" en las páginas 181 a 183. Seleccione la carta a la que a usted quiere responder. Prepare un bosquejo como sigue.

1. Identifique a su lector potencial.
2. Determine su propósito al responder.
3. Haga una lista de los asuntos que usted discutirá en su respuesta.

 Segunda fase. Investigue en Internet sobre el tema del texto que usted va a escribir. Busque la siguiente información:

● El análisis que hacen los expertos del tema (problema)

● La opinión de los expertos sobre el tema

● Algunos consejos, recomendaciones y/o advertencias de los expertos

Ahora haga lo siguiente:

● Tome apuntes de algún ejemplo (su experiencia propia o la de otros) que usted quisiera incluir en su texto.

● Escriba algunas de sus recomendaciones para la persona que escribió la carta.

7-33 ¡A escribir! Utilizando la información de la actividad, escriba su texto. Recuerde seguir su bosquejo.

7-34 ¡A editar! Lea su texto críticamente una o dos veces. Evalúe lo siguiente:

- El contenido: la cantidad y la calidad de información para el lector/la lectora

- La forma del texto: la cohesión y la coherencia de las ideas

- La mecánica del texto: la puntuación, la acentuación, la ortografía, las mayúsculas y las minúsculas, el uso de la diéresis, etc.

Cambie lo que sea necesario para lograr el propósito de su exposición.

A explorar

07-45

7-35 La amistad. Primera fase: Investigación. En Internet, busquen refranes que se refieran a las relaciones humanas.

Segunda fase: Preparación. Identifiquen algunas características de la amistad que se reflejan en los refranes que ustedes encontraron. Prepárense para compartir sus ideas con la clase.

Tercera fase: Presentación. Elijan uno de los refranes que encontraron y preparen unas viñetas ilustrando el significado del refrán.

7-36 Las relaciones humanas. Primera fase: Investigación. Busquen información en Internet sobre películas que traten de alguno de los siguientes temas:

1. El amor
2. La amistad
3. Las relaciones entre vecinos
4. Las relaciones de trabajo

Segunda fase: Preparación. Elijan una de las películas que encontraron y averigüen la siguiente información:

1. El director
2. El elenco (*cast*) de actores
3. El año en que se hizo la película
4. Alguna anécdota relacionada con la película

Tercera fase: Presentación. Hagan una presentación sobre la película incluyendo imágenes para ilustrarla. Incluyan un breve resumen de la película y su opinión personal. Tengan en cuenta lo siguiente:

1. ¿Cuál es la idea o el mensaje más importante de la película?
2. ¿Qué semejanzas ve usted entre la película y su propia experiencia?
3. ¿Qué diferencias encuentra?
4. ¿Cuál es su opinión sobre la película? ¿Por qué?

el capítulo 7

y los sentimientos

	friendship
...mor	*love*
el brillo	*brightness*
el cariño	*affection, love*
el castigo	*punishment*
los celos	*jealousy*
el comportamiento	*behavior*
el individualismo	*individualism*
el lazo	*bond, tie*
el odio	*hatred*
la reciprocidad	*reciprocity*
el sentimiento	*feeling*

Las relaciones familiares

el ahijado/la ahijada	*godson/goddaughter*
el esposo/la esposa	*husband/wife*
la hija	*daughter*
el hijo	*son*
el hijastro/la hijastra	*stepson/stepdaughter*
la madrina	*godmother*
el marido	*husband*
la mujer	*woman; wife*
el novio/la novia	*boyfriend, fiancé/girlfriend, fiancée*
el padrastro	*stepfather*
el padrino	*godfather*

Características

animado/a	*cheerful, lively*
aséptico/a	*sterile*
controlador/a	*controlling*
desesperado/a	*desperate, hopeless*
duro/a	*hard*
egoísta	*selfish*
enamorado/a	*in love*
envidioso/a	*envious*
exigente	*demanding*
frágil	*fragile*
furioso/a	*furious*
inestable	*unstable*
infeliz	*unhappy*
inseparable	*inseparable*
intolerante	*intolerant*
perfeccionista	*perfectionist*
permisivo/a	*permissive*
servicial	*helpful*
triste	*sad*
verdadero/a	*true, real*

Verbos

abrazar (c)	*to embrace*
aceptar	*to accept*
afianzar (c)	*to strengthen*
alargar	*to prolong, to lengthen*
amar	*to love*
aparecer (zc)	*to appear; to come into view*
aplacar (q)	*to appease, to placate*
besar	*to kiss*
castigar (gu)	*to punish*
comportarse	*to behave*
comprometerse a	*to commit oneself; to promise*
disciplinar	*to discipline*
enfadarse	*to get angry*
enojarse	*to get angry*
entretener (g, ie)	*to entertain*
irradiar	*to radiate*
llevar pegado/a	*to remain close by*
pelear	*to fight*
ponerse	*to put on clothing; to become*
portarse	*to behave*
preocuparse por	*to worry about*
prohibir	*to prohibit, to forbid*
quejarse de	*to complain*
recuperarse	*to recover*
reunirse	*to get together*
romper	*to break (up)*
salir (g)	*to go out*
saludar	*to greet*
seguir (i, i) (una dieta)	*to follow (to be on a diet)*
sentir(se) (ie, i)	*to be sorry; to feel*
tolerar	*to tolerate*

Palabras y expresiones útiles

los altibajos	*ups and downs*
a menudo	*often*
el compromiso	*commitment*
la convivencia	*living together*
dar un consejo	*to advise, to give advice*
dar de alta	*to discharge*
los demás	*the others, the rest*
el infarto	*heart attack*
ingresado/a	*to be admitted*
la inquietud	*worry, concern*
juntos/as	*together*
la mentira	*lie*
pasar el tiempo	*to spend time*
el pasillo	*corridor*
perenne	*perennial, evergreen; constant*
poco a poco	*little by little*

Notas: For verbs that change meaning when used as reflexives, see page 186.
For expressions that convey connections, contrasts, and conclusions, see page 200.

Cambios sociales y políticos

8

Objetivos comunicativos

- Analyzing past and present social conditions and political issues
- Reporting and discussing social changes
- Supporting and opposing a point of view about social and political issues

Contenido temático y cultural

- Political changes
- Human rights
- Social issues

Vista panorámica

Aunque la educación siempre ha tenido gran importancia para el desarrollo económico y social, aún hoy representa uno de los grandes desafíos en la sociedad latinoamericana. La Universidad Nacional Autónoma de México es un ejemplo de los esfuerzos para extender la educación a todo el pueblo.

Los pueblos de América Latina han luchado siempre por su libertad y por el establecimiento de la democracia. Sin embargo, con frecuencia se han encontrado sometidos a gobiernos dictatoriales, en muchos casos apoyados por las grandes potencias mundiales. Este es el caso de la República Dominicana, gobernada durante 30 años por Rafael Leónidas Trujillo, representado en esta foto. Otros dictadores famosos fueron Augusto Pinochet en Chile y Anastasio Somoza en Nicaragua. En efecto, la familia Somoza controló el gobierno entre 1936 y 1979.

Otro desarrollo de mucha importancia social es el acceso de la mujer a puestos de relevancia, tanto en el gobierno como en las empresas y las profesiones. En esta foto está Michelle Bachelet, presidenta de Chile entre 2006 y 2010. Y aunque ella es una de las presidentas más conocidas, no es la única. Otras mujeres que han alcanzado la presidencia en sus países son María Estela Martínez de Perón y Cristina Fernández de Kirchner en Argentina; Violeta Chamorro en Nicaragua; Mireya Moscoso en Panamá; y Laura Chinchilla en Costa Rica. Más recientemente, Dilma Rousseff fue elegida presidenta de Brasil en 2010.

Tal vez el mayor desafío social de los países latinoamericanos en la actualidad es la eliminación de la pobreza. Se necesitan grandes esfuerzos para crear trabajo, distribuir mejor la riqueza y dar acceso a todos los niños y niñas a la educación.

Vista panorámica

José de San Martín, representado en este billete argentino, fue un libertador de América que luchó por la independencia de Argentina. Durante la época colonial, la corona española estableció un control sobre todas las actividades económicas y políticas de su imperio. Esto significó la exclusión de los criollos, o sea, los hijos de españoles nacidos en las colonias, de cualquier participación en el gobierno. Sin embargo, los jóvenes criollos, como José de San Martín, eran el sector social más educado de las colonias, y ellos iniciaron movimientos de independencia inspirados en la Revolución Francesa y la Independencia de los Estados Unidos.

Otro gran desafío de las sociedades latinoamericanas actuales es la extensión de los servicios médicos a la gran mayoría de la población. Hasta hace muy poco tiempo, en la mayoría de los países el acceso al médico estaba limitado a las clases media y alta, pero en las últimas décadas se han hecho esfuerzos para extender los servicios de salud a todos los sectores de la sociedad. Pero aún queda mucho por hacer.

Durante el siglo XXI han ocurrido varios cambios importantes en la sociedad y la política de los países latinoamericanos. Uno de ellos fue la elección de Evo Morales como presidente de Bolivia en 2005. La importancia de este hecho se comprende fácilmente cuando pensamos que es el primer indígena elegido presidente de este país.

JOSI

A leer

08-01 to
08-09

Vocabulario en contexto

8-1 Los esclavos o los indígenas. A través de la historia, la vida de los indígenas y la de los esclavos negros ha tenido mucho en común. Marque los hechos que se asocian con los esclavos negros (**E**), los indígenas (**I**) o ambos (**A**) en Hispanoamérica.

1. _E_ Provenían de África.
2. _I_ Vivían en el continente americano antes de la llegada de los europeos.
3. _E_ Los conquistadores los vendían en mercados.
4. _A_ Eran explotados por los europeos.
5. _A_ Fueron excluidos y discriminados.
6. _E_ Vivían en climas muy diferentes al de su lugar de origen.
7. _I_ Eran vasallos del rey.
8. _A_ Realizaban los trabajos manuales más duros como, por ejemplo, en las minas.

CULTURA

Masticar las hojas de coca o beberlas en una infusión que se llama mate de coca son costumbres milenarias de las culturas indígenas del altiplano. Usadas como analgésico, las hojas de coca alivian dolores, ayudan a combatir el soroche, o mal de altura, y dan energía a quienes realizan trabajos duros. En épocas prehispánicas, los incas consideraron las hojas de coca como un artículo de lujo utilizado por los emperadores y los nobles en sus ritos religiosos. Sin embargo, más tarde los conquistadores estimularon su consumo para que los indígenas trabajaran más. Según muchos, la hoja de coca no debe considerarse una droga.

8-2 ¿Necesario/a o inaceptable? Primera fase. Indiquen (✓) si los siguientes fenómenos sociales son necesarios o inaceptables para la sociedad de su país. Luego determinen con qué grupos o comunidades se puede asociar cada uno.

Fenómenos	Necesario/a	Inaceptable	Grupo o comunidad
la esclavitud			
la humillación			
la libertad			
la violación de los derechos humanos			
la explotación			
el castigo físico			
el maltrato			
la opresión			
la discriminación			
el respeto			

 Segunda fase. Seleccionen dos o tres fenómenos de la *Primera fase* y expliquen por qué son malos para una comunidad civilizada.

 8-3 Personas agraviadas (*offended*). Preparen un informe sobre un personaje de la historia que sufrió la esclavitud, la violación de sus derechos, la opresión, o la discriminación (e.g., Martin Luther King Jr., Rigoberta Menchú, Nelson Mandela, Rodney King). Incluyan la siguiente información:

- Lugar de origen de la persona
- Vejaciones o maltratos que sufrió la persona
- Término del sufrimiento o solución del problema
- Momento en que la comunidad se dio cuenta de este sufrimiento
- ¿Cómo se supo esta información?

Estrategias de lectura

1. Infórmese sobre el tema antes de leer.
   a. Lea el título: "Los esclavos y los indígenas". Piense en la palabra *esclavos*. Haga una lista breve de nombres, fechas y otra información asociados con la esclavitud en América del Norte y en América del Sur.
   b. Ahora considere la palabra *indígenas* en el título. Haga una lista breve de la información que usted asocia con esta palabra en el continente americano.
2. Anticipe el contenido del texto.
   a. Lea la primera oración de cada párrafo del texto. Pase su marcador por la idea principal de cada oración.
   b. Escriba en tres o cuatro oraciones sencillas el contenido que piensa encontrar al leer el texto completo.

EXPRESIONES CLAVE

¿Comprende estas expresiones? Si tiene dudas, revise *Vocabulario en contexto* antes de leer el siguiente texto.

los derechos humanos	el maltrato
la esclavitud	la opresión
la explotación	el sufrimiento
la humillación	el vasallo
la libertad	la violación

Los esclavos y los indígenas

El primer párrafo generalmente introduce el texto y presenta la idea central. Al leer el párrafo, trate de identificar la idea central del texto.

CULTURA

La mayoría de las guerras de independencia en América Latina tuvieron lugar entre 1804 y 1825. Cuba, que tardó muchos años más en conseguir su independencia, la ganó en 1902, después de la Guerra Hispano-Estadounidense. Puerto Rico pasó a ser territorio norteamericano y en la actualidad es un Estado Libre Asociado.

¿Cuándo empezó el tráfico de esclavos africanos en el Nuevo Mundo? ¿Por qué empezó?

En este párrafo se mencionan varios ejemplos de maltrato. Pase su marcador por tres ejemplos.

¿Dónde vivían los esclavos que se describen en este texto? Al leer el párrafo, pase su marcador por las palabras y frases que indican dónde había esclavos.

Uno de los hechos más tristes y condenables en la historia de los pueblos americanos ha sido la esclavitud. La injusticia de privar de su libertad y mantener oprimidos a otros seres humanos es inadmisible. Aunque en otras épocas esta era una práctica común, siempre existieron voces que se levantaron en contra de esta indiscutible violación de los derechos humanos. 5 / 10

Los africanos, procedentes de países como Senegal, Congo o Angola, llegaron a las colonias españolas como esclavos desde principios de la conquista. Debido a la explotación, al abuso y a las enfermedades traídas por los europeos al Nuevo Mundo, los indígenas morían por miles. Entonces, para compensar el trabajo que hacían los 15 / 20

⌃ En esta imagen de un relieve precolombino, comprobamos que las sociedades jerárquicas y posiblemente la práctica de la esclavitud existían antes de la llegada de los europeos. 25

indígenas, los europeos se dedicaron al tráfico de mujeres y hombres africanos. Estos eran capturados por los mismos europeos o vendidos por sus propios caciques a los traficantes, conocidos entonces como negreros.

Las condiciones en los barcos que transportaban a estos futuros esclavos eran inhumanas. Además, el viaje duraba muchos meses y, a veces, más de un año. Si los 30 futuros esclavos lograban sobrevivir la penosa travesía, su situación no mejoraba al llegar a tierras americanas, pues eran sometidos a castigos, malos tratos y humillaciones. Por ejemplo, los caciques separaban a los miembros de las familias y los marcaban como al ganado para venderlos en los mercados de esclavos.

Al hablar de la esclavitud en Hispanoamérica, generalmente se piensa en la región 35 del Caribe, donde la influencia de las diversas culturas africanas se manifiesta en muchas áreas. Pero es importante recordar que la esclavitud también existió en otras regiones. En todos los lugares donde residían, la vida diaria de estos esclavos era en general degradante y penosa. Tenían que cumplir rigurosas jornadas de trabajo descalzos y con escasa ropa, cargando grillos (*shackles*) y 40 cadenas, y amenazados por el látigo (*whip*) de sus opresores. Los que vivían en las sierras andinas, tenían que soportar temperaturas muy frías, a las que no estaban acostumbrados.

Con la abolición de la esclavitud, a consecuencia de las guerras de independencia
45 en el siglo XIX, sus condiciones de vida mejoraron algo. Sin embargo, a pesar del
sufrimiento y la opresión de sus antepasados, se mantuvieron marginados y, en
muchos casos, fueron víctimas de la exclusión y la discriminación. 🗨

🗨 La situación de los indígenas después de la llegada de los españoles a América
tiene muchas semejanzas con la de los esclavos. Aunque los españoles decían que
50 los indígenas no eran esclavos, sino vasallos del rey de España, los obligaron a
trabajar en las minas y en las haciendas, y sufrieron innumerables maltratos, a pesar
de que muchos sacerdotes y personajes importantes los defendieron. Por ejemplo,
el testamento (*will*) de la reina Isabel la Católica manda que los españoles respeten
a los indígenas y sus propiedades y que "sean justamente tratados, y si algún
55 agravio han recibido, lo remedien". Unos años después, su nieto, el rey Carlos V,
prohibió enviar a los indígenas a las minas y aclaró que en los casos en que su
labor era indispensable, debían recibir pago por su trabajo. Sin embargo, muchos
conquistadores, debido a la distancia y la dificultad en las comunicaciones entre
España y el Nuevo Mundo, cometieron abusos y no cumplieron estas órdenes.

60 A lo largo de los siglos, los descendientes de los pueblos africanos e indígenas
han contribuido a fomentar la riqueza de los poderosos en las minas, las plantaciones y las haciendas. Fueron, además, instrumentales en las luchas por la independencia y en las guerras internas de las nuevas naciones hispanoamericanas en el siglo XIX. A pesar de que todavía hay desigualdades sociales y situaciones injustas, ambos grupos han contribuido con su trabajo, sus creencias y sus manifestaciones culturales a la formación y el desarrollo de las naciones latinoamericanas.

65

70

75 ⌃ Ilustración del Códice de Tlaxcala, de 1632, donde se ve a
los conquistadores luchando contra los indígenas.

💬 ¿Qué ha comprendido? ¿Cómo se caracteriza la vida de los descendientes de esclavos después de las guerras de independencia? ¿Siguió la opresión? ¿Cómo se manifestó?

💬 Al leer este párrafo sobre la situación de los indígenas, conteste estas preguntas. ¿Eran esclavos los indígenas? ¿Qué orden dio el rey Carlos V de España acerca del trato de los indígenas? ¿Se cumplió la orden?

Comprensión y ampliación

8-4 Comprensión. Responda a las preguntas según la lectura.

1. ¿Por qué llevaron los europeos a los africanos como esclavos al continente americano?
2. ¿Quiénes eran los negreros?
3. ¿Cómo era la vida de los esclavos en los barcos?
4. ¿En qué regiones de América vivieron los africanos?
5. ¿Qué decían las leyes españolas sobre los indígenas?
6. ¿Qué trabajos se asignaban normalmente a los indígenas?
7. ¿Qué abusos cometían algunos conquistadores probablemente?
8. Según el texto, ¿cómo han contribuido los africanos y los indígenas al desarrollo de sus países?

8-5 Ampliación. Rodrigo es uno de los esclavos de África que fue vendido en tiempos de la conquista de América. Escriban un testimonio de las experiencias de Rodrigo basándose en los detalles que ustedes leyeron y en lo que saben de la historia.

MODELO: *Me llamo Rodrigo y tengo… años. Un día caluroso caminaba cerca de mi casa cuando…*

1. Edad aproximada y circunstancias en que fue capturado
2. Su viaje en barco y las condiciones del viaje
3. Lo que sintió y lo que vio a su llegada al continente americano
4. Su traslado a un mercado público para ser vendido
5. Descripción de sus nuevos amos (*masters*) y del trabajo que lo obligaban a hacer
6. Las circunstancias de su liberación

8-6 Conexiones. Invente un contexto contemporáneo diferente y real para cada una de las siguientes acciones o situaciones que aparecen en el texto.

MODELO: Privar de su libertad
El juez privó de su libertad a los prisioneros.

1. Morir por miles
2. Ser capturado/a
3. Exhibir en los mercados
4. Soportar largos viajes
5. Conquistar
6. Recibir pago por su trabajo

08-10 to
08-18

Aclaración y expansión

Indefinite and negative expressions

Affirmative		Negative	
todo	everything	**nada**	nothing
algo	something, anything		
todos	everybody, all	**nadie**	no one, nobody
alguien	someone, anyone		
algún, alguno/a	some, any	**ningún, ninguno/a**	no, not any, none
algunos/as	several		
o... o	either . . . or	**ni... ni**	neither . . . nor
siempre	always	**nunca, jamás**	never, (not) ever
una vez	once		
alguna vez	sometime		
algunas veces, a veces	sometimes		
también	also, too	**tampoco**	neither, not . . . either

LENGUA

In Spanish, unlike English, it is common to use two or more negative words in the same sentence.

Nunca confía en **nadie.** / **No** confía en **nadie nunca.**

He never trusts anyone.

With the negative words **ningún, ninguno,** and **ninguna,** only the singular forms are used.

Ningún estudiante quiere más tarea.

Ninguno de los estudiantes quiere más tarea.

- Negative words may precede or follow the verb. When they follow the verb, use **no** before the verb.

Algunos profesores de historia **nunca** hablan del trato a las mujeres indígenas en la época colonial.
Algunos profesores de historia **no** hablan **nunca** del trato a las mujeres indígenas en la época colonial.

*Some history teachers **never** talk about the treatment of indigenous women during the colonial period.*

- When **alguno** and **ninguno** are adjectives that precede a masculine singular noun, they are shortened to **algún** and **ningún.**

¿Tienes **algún** libro sobre este tema?

*Do you have **any** books on this topic?*

No, **no** tengo **ningún** libro sobre este tema.

*No, I have **no** books on this topic.*

LENGUA

When **alguno/a/os/as** and **ninguno/a** refer to persons who are the direct object of the verb, use the personal **a.** Use it also with **alguien** and **nadie** since they always refer to people.

¿Conoces **a algunos** historiadores que estudien la esclavitud en la época colonial?

*Do you know **any** historians who study slavery of the colonial period?*

8-7 Práctica. Complete las siguientes oraciones con una expresión negativa. Siga el modelo.

MODELO: *Sara siempre lee libros de historia. Pero* __*nunca*__ *lee libros de ciencia ficción.*

1. Algunos estudiantes hacen presentaciones sobre la explotación de los indígenas.
   Pero _ningún_ estudiante hace una presentación sobre la explotación de los esclavos africanos.
2. Todo el mundo va a la conferencia de la profesora de historia colonial.
   Pero _nadie_ fue a la conferencia de la semana pasada.
3. Elena y Marcos no pueden ir; tienen otro compromiso.
   Pero Enrique no va _tampoco_ porque tiene que terminar un proyecto.
4. Hay una manifestación contra el racismo en el centro del campus esta tarde.
   Pero mi amigo me dice que no hay _nada_ hoy.
5. A veces leo el periódico para enterarme de los eventos del mundo.
   Pero no leo _nunca_ la sección de deportes.
6. Siempre podemos tomar cursos de verano.
   Pero _nunca_ podemos irnos de vacaciones.

8-8 Algunos errores. Revisen las siguientes oraciones y corrijan los errores en la información que se presenta. Usen las expresiones indefinidas y negativas.

MODELO: Los esclavos del Nuevo Mundo no vinieron de ningún país africano.
Corrección: *Los esclavos del Nuevo Mundo **vinieron de algunos países africanos.***

1. En la época colonial, ningún esclavo vivía bajo condiciones intolerables.
2. Los esclavos no hacían los trabajos más duros y tampoco sufrían muchas enfermedades.
3. Los indígenas no tenían el apoyo de ninguna persona importante.
4. Las personas que transportaron a los esclavos de África al Nuevo Mundo siempre pensaron en el bienestar físico y mental de los esclavos.
5. No había esclavos en ninguna parte de América del Norte.

8-9 Una investigación. Dos estudiantes hacen una investigación sobre la esclavitud en el Caribe. Lean su conversación y complétenla con las palabras que aparecen abajo. Algunas palabras se pueden usar más de una vez.

| algo | nadie | ningún, ninguno/a | también |
| nada | ni | nunca | tampoco |

E1: ¿Has encontrado (1) _____ interesante?
E2: No, no he encontrado (2) _____. Leí estos dos artículos, pero no encontré información relevante (3) _____ a la época que nos interesa (4) _____ al Caribe. Y (5) _____ hay mucho sobre la esclavitud.
E1: ¡Qué raro! Los títulos parecían tan interesantes. Vamos a hacer una búsqueda en Internet.
E2: Mira, aquí hay un buen sitio que tiene mucha información. (6) _____ vamos a encontrar mejor información. No has encontrado (7) _____ tan bueno, ¿verdad?
E1: ¡Qué suerte! Con este artículo, vamos a tener la mejor presentación de la clase. (8) _____ va a sacar una mejor nota que nosotros.

8-10 ¿Con qué frecuencia? Primera fase. Indique la frecuencia con que usted hace las siguientes actividades y déle esa información a su compañero/a. Después, averigüe con qué frecuencia las hace él/ella.

MODELO: mirar películas en español
E1: *A veces miro películas en español. ¿Y tú?*
E2: *Yo casi nunca miro películas en español porque mis amigos prefieren ver películas en inglés.*

Actividades	Siempre	A veces	Casi nunca	Nunca
Leer noticias sobre la política de Latinoamérica				
Debatir temas sociales con mis amigos				
Hablar de temas raciales en mis clases				
Investigar sobre temas como el colonialismo o el imperialismo				
Estudiar la historia de Latinoamérica				

Segunda fase. Ahora hágale preguntas a su compañero/a para tratar de averiguar más detalles sobre sus actividades.

1. Dos o tres actividades que le gustan mucho
2. Cuándo las hace y con quién
3. Actividades que no le gustan nada
4. Si alguna vez tiene que hacer esas actividades o no
5. Algo que nunca ha hecho y que quiere hacer

📖 Ventanas al mundo hispano

Desafíos y cambios

Antes de ver

8-11 Cambios y consecuencias. Asocie los cambios con sus consecuencias.

① C En 1947, el presidente de Argentina firmó la ley que les dio a las mujeres el derecho al voto.

② d Evo Morales fue el primer indígena elegido presidente en Bolivia.

③ a Las guerras de independencia terminaron con la esclavitud en América Latina.

④ b La Revolución Mexicana que comenzó en 1910 tuvo el objetivo de mejorar la situación de los campesinos.

a. Todos los ciudadanos de los países de América Latina se consideran libres.

b. La reforma agraria mejoró la situación económica y laboral de muchas personas.

c. Las mujeres argentinas tienen los mismos derechos que los hombres en la votación presidencial.

d. La clase indígena siente que tiene una mayor representatividad en el gobierno.

🎬 Mientras ve

8-12 Hechos del mundo hispano. Empareje la información de la columna izquierda con los eventos o temas de la columna derecha.

① d El 11 de marzo de 2004

② e Evo Morales

③ a Michelle Bachelet

④ b La diversidad lingüística

⑤ c La diversidad étnica

a. Fue la primera mujer que alcanzó la presidencia de Chile en 2006.

b. Significa que se habla más de una lengua, como ocurre en países como México, Guatemala, España, por ejemplo.

c. Es una riqueza y un desafío para muchas sociedades.

d. España sufrió el peor ataque terrorista de su historia.

e. Fue elegido presidente de Bolivia en 2005.

Después de ver

8-13 ¿Diversidad o unidad? Primera fase. Clasifique las siguientes oraciones según indiquen diversidad (**D**) u homogeneidad (**H**) cultural.

① ___ Existe sólo una lengua oficial para todos los ciudadanos de un país.

② ___ No hay ninguna celebración cultural de grupos étnicos minoritarios.

③ ___ Todos tienen derecho a participar de distintas tradiciones étnicas.

④ ___ En las ciudades siempre se encuentran anuncios importantes en distintos idiomas.

⑤ ___ En la corte se ofrece servicio de intérpretes cuando la persona no habla la lengua oficial.

⑥ ___ Los trajes tradicionales de grupos minoritarios no pueden usarse nunca en eventos oficiales del país.

Segunda fase. Contesten las siguientes preguntas y discutan sus ideas: ¿Creen ustedes que la diversidad debilita la integridad cultural de un país? ¿Es la diversidad étnica un desafío o una ventaja? ¿Por qué?

SEGUNDA PARTE

A leer

Vocabulario en contexto

8-14 Cambios económicos. Primera fase. Indique si las siguientes afirmaciones describen una economía creciente o emergente (**EE**) o una economía en crisis (**EC**).

1. _EC_ No hay apertura de su mercado; es decir, el país no compite con mercados extranjeros.
2. _EC_ No se observa un crecimiento ni una recuperación económica.
3. _EE_ Los ricos invierten (*invest*) su capital; es decir, son inversores que ponen a trabajar su dinero.
4. _EE_ La población protege y hace buen uso de los recursos naturales como el agua y los bosques.
5. _EC_ La riqueza del país se desperdicia (*is wasted*) o no es repartida equitativamente.
6. _EE_ Las mejoras ayudan a los habitantes del país porque elevan su nivel de vida.

 Segunda fase. Respondan a las siguientes preguntas sobre la economía de su región o país. Luego, comparen sus respuestas con las de otra pareja.

1. ¿Tiene su país una economía creciente, desarrollada o decadente? Justifiquen su respuesta.
2. ¿Cuáles son las industrias principales de su país: petróleo, minerales u otras? Den ejemplos.
3. ¿Qué recursos naturales hay en su región? ¿Cómo los usa la población?
4. ¿Tiene la población de su país un buen nivel de vida? Expliquen.

8-15 Recursos renovables o no renovables. Los recursos de diversos tipos son el fundamento de las economías. Indique si los siguientes son recursos renovables (**RR**), no renovables (**NR**) o humanos (**RH**).

1. _RR_ el agua
2. _NR_ un yacimiento de oro
3. _RH_ la mano de obra (*work force*)
4. _RR_ los bosques tropicales
5. _NR_ la plata
6. _RR_ el café
7. _RH_ los profesionales
8. _NR_ un yacimiento de cobre (*copper*)
9. _NR_ el petróleo
10. _RR_ el viento

8-16 ¿Repercusión positiva o negativa? De la siguiente lista, marquen las situaciones que tienen una repercusión positiva **(R+)** o negativa **(R–)** en la economía de un país. Presenten sus conclusiones a la clase, justificando su opinión.

1. ____ la lucha del gobierno contra el narcotráfico
2. ____ la falta de apertura del mercado nacional a los mercados internacionales
3. ____ la distribución justa de la riqueza
4. ____ la inversión en energía renovable
5. ____ la explotación indiscriminada de los recursos naturales
6. ____ la educación en contra del consumo de las drogas
7. ____ el crecimiento del desempleo (*unemployment*)
8. ____ la protección en conjunto de los derechos humanos

Estrategias de lectura

EXPRESIONES CLAVE

¿Comprende estas expresiones? Si tiene dudas, revise *Vocabulario en contexto* antes de leer el siguiente texto.

la apertura	la población
en conjunto	la potencia
el crecimiento	repartido/a
el inversor	el recurso
las mejoras	la recuperación
el nivel de vida	la riqueza
el país emergente	el yacimiento

1. Use el título y la primera frase para anticipar el contenido del texto.
   a. Lea el título: "El despegue económico de América Latina". La palabra *despegue* significa literalmente la acción de un avión o de un cohete (*rocket*) de separarse de la tierra y subir al aire. ¿A qué tipo de actividad se refiere en este texto?
   b. Ahora lea la primera frase del texto. ¿Cómo se expresa en esta frase la idea de un *despegue económico*?
2. Examine el texto antes de leerlo.
   a. Examine el texto rápidamente y pase su marcador sobre los nombres de países. ¿Qué países se mencionan en el texto?
   b. Este texto tiene seis párrafos: una introducción, una conclusión y cuatro párrafos sobre regiones o países específicos. Busque los países que ha marcado y ponga un círculo alrededor del país o de la región que es el tema de cada párrafo.

 LECTURA

El despegue económico de América Latina

América Latina está experimentando un crecimiento económico muy notable. Los aproximadamente veinte países que integran esta región forman hoy, en su conjunto, la tercera gran economía del mundo. Son los principales productores de alimentos y cuentan con grandes recursos naturales, además de importantes yacimientos minerales y de petróleo. Algunos de estos yacimientos se descubrieron recientemente en México y Brasil. 5

Brasil es el líder indiscutible de este crecimiento económico. En la actualidad es ya la octava economía más rica del mundo, y se piensa que en las próximas décadas este crecimiento va a mantenerse o incrementarse. La llegada a la presidencia en 2011 de Dilma Rousseff parece asegurar la continuidad en 10 la exitosa política económica de sus antecesores en el gobierno, Fernando Henrique Cardoso (que gobernó en el período 1995–2002) y Luiz Inácio Lula da Silva (2003–2010). La población de Brasil se acerca a los 200 millones de habitantes, por lo que es considerado hoy un país emergente de gran extensión

Este párrafo da información económica sobre América Latina. Al leer, subraye tres datos (*pieces of information*) sobre la región.

¿Qué ha aprendido? Haga una lista de sus datos.

Este párrafo trata de Brasil. Al leer, anote un dato sobre cada uno de estos temas: la economía, la política y los deportes.

15 territorial, elevada población y de un crecimiento rápido que resulta atractivo
a los inversores. Brasil fue propuesto para ser la sede, en el año 2014, de un
importante acontecimiento deportivo de gran tradición: el Campeonato Mundial
de Fútbol. Además, la ciudad de Río de Janeiro ha sido elegida para los Juegos
Olímpicos de 2016. Desde México en 1968 no se han vuelto a organizar en América
20 Latina unos Juegos Olímpicos.

México es la segunda potencia económica de América Latina. Con 112 millones
de habitantes, es el país con más hispanohablantes del mundo. Desde la rápida
recuperación de la crisis financiera de 1994–1995, la economía mexicana ha
crecido sostenidamente gracias a su apertura a los mercados internacionales,
25 en especial a las exportaciones de sus productos en Estados Unidos y Canadá,
y al turismo. México, con su rico patrimonio de ruinas precolombinas y sus
hermosas playas, es un destino turístico importante de América Latina. Pero en
México, como en otros países, todavía existen grandes diferencias entre ricos y
pobres. No es este el único problema importante del país: en México se mantiene
30 una feroz batalla contra el narcotráfico. Desde que en 2006 las autoridades
decidieron perseguir con más insistencia a las organizaciones de narcotraficantes en Ciudad Juárez, han muerto más de 34.000 personas, según datos oficiales,
muchas de ellas víctimas de las luchas entre cárteles rivales. Esto, naturalmente,
ha afectado la economía de México y ha propiciado la decadencia de la industria
35 turística.

Los países del Cono Sur, Argentina, Chile y Uruguay tienen economías estables y
en crecimiento. Bajo la presidencia de Cristina Fernández de Kirchner, Argentina
sufrió los efectos de la crisis financiera de 2008 por la disminución del comercio
mundial y de los flujos de capital, pero en 2010 experimentó una recuperación
40 de casi el 5%, aunque mantiene todavía una enorme deuda externa y una fuerte
inflación. Chile, con un alto nivel de vida, se caracteriza por una economía
dinámica que ha reaccionado bien a las crisis. Por su parte, Uruguay creció un
8% anual entre 2004 y 2008, frenando (*slowing down*) ese ritmo después de la
crisis de 2008.

45 Uno de los países que ha registrado importantes mejoras en los últimos años
es Colombia, que es en la actualidad la cuarta economía de América Latina
tras Brasil, México y Argentina, y ha conseguido desde 2002 un crecimiento
anual del 5,5%. País exportador de petróleo y café, Colombia ha realizado en
los últimos años grandes avances en seguridad, combatiendo con cierto éxito el
50 narcotráfico y la guerrilla.

A pesar de que los indicadores de pobreza son todavía desfavorables, en algunos
países un alto porcentaje de la población vive todavía bajo la línea de pobreza
extrema (población con menos de dos dólares diarios), se puede decir que hay
una tendencia global positiva. En su conjunto, América Latina experimenta hoy
55 día un buen momento histórico que se resume en un claro fortalecimiento de las
instituciones democráticas y en una rápida recuperación económica.

Este párrafo trata de México. Al leer, apunte por lo menos tres datos sobre su economía.

VARIACIONES

Algunas palabras se pronuncian de manera diferente según la región. En el texto se encuentra la palabra *cárteles*. Tanto *cartel* como *cártel* se acepta. Otros ejemplos son *video/vídeo*, *icono/ícono*, *atmosfera/atmósfera* y *chofer/ chófer*.

¿Qué conexión hace el autor del texto entre el narcotráfico, el turismo y la economía de México?

Este párrafo trata del Cono Sur. Al leer, averigüe si las economías de los países del Cono Sur están en buenas condiciones o en malas condiciones.

Este párrafo trata de Colombia. Al leer, averigüe qué piensa el autor del texto sobre la situación en Colombia. ¿Ha mejorado su situación económica en la última década, o no?

Comprensión y ampliación

8-17 Comprensión. Vuelva a leer el texto y responda a las preguntas.

1. ¿Cuál es la situación de América Latina dentro de la economía mundial?
2. ¿Cuáles son los tres factores que han jugado un papel en el crecimiento económico de Brasil?
3. ¿Cuáles son los problemas de México en la actualidad?
4. ¿Cuáles son dos factores que contribuyen a la economía de Colombia?
5. ¿Sugiere este texto que todos los países de América Latina han experimentado progresos en los últimos años? Explique su respuesta.

8-18 Ampliación. Expansión de vocabulario.

1. En la lectura se dice que Brasil es un país *emergente*. Explique lo que significa este concepto y dé ejemplos de otros países que también se consideran emergentes.
2. En la lectura se dice que Chile se caracteriza por tener una economía dinámica. Dé ejemplos de lo que ocurre cuando una economía es dinámica.
3. Al hablar sobre México, en la lectura se dice que la guerra contra el narcotráfico "ha propiciado la decadencia de la industria turística". Explique el significado del verbo *propiciar* en esta oración. En su opinión, ¿qué ha propiciado la crisis económica de la que se habla en la lectura?
4. Explique el significado de la expresión "tendencia global positiva", que se utiliza en el último párrafo del texto.

 8-19 Conexiones. La lectura anterior sugiere ciertos temas de interés cultural. Investigue y explique algunos de los siguientes, o proponga otros.

1. Posibles ventajas y desventajas de ser la sede de eventos deportivos y turísticos como la Copa Mundial de Fútbol o los Juegos Olímpicos.
2. Algunas personas piensan que la explotación del patrimonio histórico para fines turísticos es una mala idea. Piense en dos o tres razones que justifiquen esa posición y otras dos o tres razones que la contradigan.
3. En la lectura se menciona a dos mujeres presidentas de países latinoamericanos, Dilma Rousseff (Brasil) y Cristina Fernández de Kirchner (Argentina). ¿Qué otros países de América Latina han tenido mujeres presidentas?

A escuchar

 8-20 La democratización mundial. Primero, lea las afirmaciones a continuación. Luego, escuche la información e indique si las afirmaciones son ciertas (**C**) o falsas (**F**). Si la respuesta es falsa, corrija la información.

1. _____ Durante la década de los noventa comenzaron a desintegrarse las dictaduras de tres países europeos.
2. _____ El movimiento hacia la democracia influyó más tarde en los sistemas políticos de países latinoamericanos que vivían bajo regímenes militares.
3. _____ El interés por expandir la democracia por el mundo facilitó el colapso del comunismo en la Unión Soviética.
4. _____ España es un buen ejemplo que otras naciones con democracias jóvenes pueden imitar.

 8-21 ¿Símbolo de democracia? Indiquen dos países que se han democratizado en las últimas décadas. Mencionen uno o dos cambios significativos que han ocurrido en estos dos países. ¿Qué tipos de cambios son?

Aclaración y expansión

08-33 to
08-41

Indicative and subjunctive
in adjective clauses

- An adjective clause is a dependent clause that describes a person, a place, or an object and is used as an adjective.

Adjective

El país tiene una economía **creciente**.

Adjective clause

El país tiene una economía **que está creciendo**.

- Use the indicative in an adjective clause when referring to an antecedent (a person, place, or thing) that exists or is known.

Algunos dictadores tenían creencias políticas **que terminaron** en asesinatos.	*Some dictators had political beliefs **that resulted** in assassinations.*
Los periódicos revelan información **que nunca ha publicado** ningún medio de comunicación.	*Newspapers reveal information **that no other media have ever published**.*

- Use the subjunctive in an adjective clause when referring to a person, place, or thing that does not exist or whose existence is unknown or uncertain.

No hay ningún movimiento revolucionario **que luche** contra el gobierno sin perder a muchos de sus miembros.	*There is no revolutionary movement **that fights** against the government without losing many of its members.*

clues:
1) type of verb
2) los artículos
3) para negar

When referring to a specific person who is the direct object in the main clause, use the personal **a** and the indicative in the adjective clause. If it is not a specific person, do not use the personal **a** and use the subjunctive in the adjective clause.

Buscan **a** la doctora **que habla** español. (*They have a specific doctor in mind.*)

Buscan una doctora **que hable** español. (*They are willing to see any Spanish-speaking doctor.*)

Remember that **alguien** and **nadie** are always preceded by the personal **a** when they function as direct objects.

Necesitamos **a alguien** que **sea** bilingüe.

No conocemos **a nadie** que **hable** español, árabe y ruso.

Los revolucionarios quieren un gobierno **que permita** la libertad de expresión.

The revolutionaries want a government that allows freedom of expression. [We do not know if a government that allows freedom of expression exists or will exist for them.]

8-22 Práctica. Complete las siguientes oraciones con el indicativo o el subjuntivo de los verbos entre paréntesis.

1. Vivimos en una época que ____es____ (ser) distinta a la de nuestros padres.
2. Hay muchos jóvenes hoy en día que no ___tienen___ (tener) trabajo.
3. No hay nadie que ___prefiera___ (preferir) hacer trabajo manual, pero a veces es la única opción.
4. La crisis económica ha creado una sociedad que ___sufre___ (sufrir) de mucha ansiedad.
5. No hay nada que ___cause___ (causar) más ansiedad que el desempleo.
6. Todo el mundo quiere un trabajo que les ___garantice___ (garantizar) seguridad de empleo.
7. Quiero conseguir un trabajo que me ___permita___ (permitir) vivir bien.
8. Desafortunadamente, no hay agencias en la ciudad que ___ofrezcan___ (ofrecer) cursos de capacitación para los desempleados.

8-23 Los cambios sociales. Lea la siguiente reflexión sobre los cambios en la sociedad. Complete el texto con el indicativo o el subjuntivo de los verbos entre paréntesis.

El cambio puede provocar conflicto. Hoy en día observamos cambios sociales que (1) ___afectan___ (afectar) a todos los sectores de la población. Sin embargo, no hay ningún cambio que (2) ___beneficie___ (beneficiar) a todos de igual forma. Por eso, generalmente hay grupos que (3) ___se oponen___ (oponerse) a cualquier cambio. Prefieren una situación estable que (4) ___dé___ (dar) más tranquilidad. Pongamos el ejemplo de la industria automovilística. No hay nadie que (5) ___quiera___ (querer) pagar tanto por la gasolina. Algunas personas optan por una solución personal: buscan autos que (6) ___consuman___ (consumir) menos gasolina. Hay otras personas que (7) ___insisten___ (insistir) en tener autos grandes porque son más cómodos. Unos grupos de activistas quieren leyes nuevas que (8) ___impongan___ (imponer) impuestos adicionales a la venta de los autos muy grandes. Quieren crear incentivos sociales que (9) ___convenzan___ (convencer) a más gente para comprar autos más pequeños. Claro está que hay mucha controversia entre las personas que (10) ___buscan___ (buscar) cambios sociales y las que (11) ___quieren___ (querer) más libertad individual.

8-24 La situación actual. Usen la palabras y expresiones a continuación para hablar de sus expectativas sobre la situación económica, política o social de su país. Luego, hablen sobre su perspectiva con otro grupo.

Modelo: *Necesitamos unos candidatos que sepan mejorar la situación económica.*

Hay / No hay	unos políticos	afectar a todos los sectores de la población
Buscamos	una economía	(no) saber mejorar la situación
Queremos	una crisis	(no) crear más trabajo
Necesitamos	una comunidad	(no) crecer
Tenemos	unas personas	cubrir el alto costo de la educación universitaria
Somos	un trabajo	(no) pagar bien
	unos candidatos	trabajar muy duro
	unos préstamos	(no) tener trabajo
	unas becas	(no) escuchar las necesidades de la gente
	¿...?	¿...?

- Queremos una comunidad que escuche las necesidades de la gente
- Necesitamos una economía que cree más trabajo
- Hay unos políticos que no saben mejorar la situación
- Buscamos un trabajo que pague bien

8-25 Un secretario para la oficina. Usted está buscando un secretario para el gerente de su compañía. Explíquele al/a la agente de una agencia de empleos el tipo de profesional que su compañía necesita. El/La agente debe hacerle preguntas para obtener más información. Incluyan los siguientes temas en su conversación.

Usted requiere un secretario que...	Preguntas del/de la agente
ser bilingüe	hablar inglés / francés
tener un mínimo de cinco años de experiencia	vivir en Estados Unidos o en un país hispano
poder viajar al extranjero	viajar cada mes / cada semana
conocer la nueva tecnología	manejar la computadora u otras tecnologías

8-26 Una nueva vida. Dramaticen una conversación entre un inmigrante reciente y un empleado de la agencia Una Nueva Vida. El/La inmigrante busca información sobre los asuntos que aparecen a continuación. El empleado/La empleada contesta sus preguntas de acuerdo con la información del anuncio.

Modelo: E1: *Hola, buenos días. ¿Hay alguien que me pueda dar información sobre los servicios de la agencia?*
E2: *Por supuesto, ¿en qué le puedo servir?*

Información que necesita la familia

1. Nombre de la organización que ofrece los servicios
2. Clases para las personas que no saben inglés
3. Abogados que aconsejan a los inmigrantes
4. Ayuda a las personas que buscan vivienda
5. Orientación para las personas que buscan trabajo
6. Guarderías que sean económicas o gratis

AGENCIA UNA NUEVA VIDA

Ayuda gratis a un costo mínimo a los inmigrantes
Equipo de voluntarios y profesionales
Clases nocturnas de inglés

Consejeros bilingües especializados en temas de educación, permisos de trabajo, vivienda, nacionalización
Información sobre guarderías que ofrecen becas

ALGO MÁS

Relative pronouns

- To avoid unnecessary repetition, when two clauses or sentences repeat a noun or pronoun, both Spanish and English use relative pronouns to combine them.

En la década de los setenta, muchos países latinoamericanos tuvieron **gobiernos totalitarios. Los gobiernos totalitarios** privaron al pueblo de su libertad de expresión.	*In the 1970s many Latin American countries had **totalitarian governments. The totalitarian governments** deprived the people of their freedom of expression.*
En la década de los setenta, muchos países latinoamericanos tuvieron gobiernos totalitarios **que** privaron al pueblo de su libertad de expresión.	*In the 1970s many Latin American countries had totalitarian governments **that** deprived the people of their freedom of expression.*

- The most commonly used relative pronoun is **que**. It introduces a dependent clause and it may refer to persons or things.

La primera mujer **que** alcanzó el puesto de presidenta de un país latinoamericano fue Isabel Perón.	*The first woman **who** attained the office of president of a Latin American country was Isabel Perón.*
Durante su presidencia, **que** duró menos de dos años, Argentina sufrió muchos problemas económicos.	*During her presidency, **which** lasted less than two years, Argentina had many economic problems.*

- **Quien(es)** refers only to persons. It is used after prepositions (**a, con, de, por, para**, etc.). It may also be used instead of **que**, usually in writing, in clauses that are set off by commas.

La única mujer indígena **a quien** le han dado el Premio Nobel de la Paz es Rigoberta Menchú.	*The only indigenous woman **to whom** the Nobel Peace Prize has been given is Rigoberta Menchú.*
El dictador, **que/quien** murió a los 91 años, nunca respondió por sus crímenes.	*The dictator, **who** died at age 91, never answered for his crimes.*

- **Lo que** refers to a previously mentioned idea, action, or situation.

Muy pronto va a haber elecciones en muchos países, **lo que** mantendrá al resto del mundo muy atento.	*Very soon there are going to be elections in many countries, **which** will capture the attention of the rest of the world.*

8-27 Los cambios sociales y políticos. Lea las siguientes afirmaciones sobre temas históricos y sociales y luego, indique si el pronombre relativo **que** puede sustituirse por **quien** o **quienes.** En algunas frases hay más de un **que.**

1. Rafael Leónidas Trujillo, **que** fue dictador de la República Dominicana durante muchos años, murió asesinado.
2. Las mujeres, **que** antes tenían dificultades para acceder a la educación, ahora superan en número a los hombres en muchas carreras profesionales.
3. Las mujeres **que** se dedican a la política son pocas comparadas con las mujeres **que** se dedican a los negocios.
4. Los avances de la medicina, **que** han sido muchos en los últimos años, han alargado las expectativas de vida.
5. Las personas **que** creen en la democracia como sistema político deben expresar sus ideas votando.
6. El calentamiento global **que** amenaza el planeta debe ser un tema prioritario en los debates políticos.

8-28 El narcotráfico. El narcotráfico es un problema serio que ha obligado a varios países a tomar medidas drásticas para proteger a la población. Lea el siguiente artículo y complételo con el pronombre relativo correcto: **que, quien(es)** o **lo que.**

Un problema (1) _____ preocupa a muchos gobiernos es el narcotráfico. Debido a los numerosos crímenes perpetrados por los narcotraficantes y al aumento de la producción y venta de drogas, se han adoptado en todo el mundo medidas de seguridad (2) _____ a veces hacen más difícil pasar las vacaciones en lugares (3) _____ eran preferidos por los turistas en el pasado. Por ejemplo, hoy en día es peligroso viajar a algunas ciudades del Golfo de México, (4) _____ afecta notablemente a la economía del lugar.

Al mismo tiempo, los controles en las fronteras se han intensificado. Los viajeros a veces tienen que soportar largas colas (5) _____ añaden tiempo en las aduanas de los aeropuertos. Muchas personas para (6) _____ viajar era un placer, ahora se quejan de los agentes (7) _____ revisan cuidadosamente su equipaje en busca de drogas. Asimismo, ahora hay máquinas sofisticadas (8) _____ almacenan las huellas dactilares de todos los viajeros (9) _____ cruzan de un país a otro. Sin embargo, estas medidas no han resuelto definitivamente el problema del narcotráfico internacional.

A escribir

08-42

Estrategias de redacción: la exposición (continuación)

El autor/La autora de un texto puede captar la atención de su público utilizando algunas estrategias como las siguientes:

- Escoja un tema atractivo, considerando los intereses y el conocimiento de su público.

- Enfoque su texto. Dele una orientación concreta, real y práctica.

- Organice su párrafo introductorio para expresar claramente las ideas principales del ensayo.

- Seleccione cuidadosamente las palabras. Los verbos, especialmente los que denotan movimiento físico, le dan vida y acción a su texto.

- Use los títulos y subtítulos como una ayuda visual: cortos, atractivos, provocativos, directos.

- Capte la atención del lector con las opiniones de alguien conocido. Cuando sea pertinente, cite a un experto o a alguien famoso.

8-29 Análisis. La carta a continuación apareció en un periódico universitario. Léala y siga las siguientes instrucciones:

1. Identifique (✓) al lector potencial de la carta.
   _____ Es un público general.
   _____ Es un público particular. (Indique el público.)
2. Determine (✓) el propósito de la carta.
   _____ entretener
   _____ informar
3. Identifique las características de la organización y la estructura del texto.
   _____ Hay una introducción, un cuerpo y una conclusión claros.
   _____ No hay una introducción, un cuerpo y una conclusión claros. Explique.
   _____ Las ideas se han conectado bien. Subraye algunas expresiones que indican orden.
4. Identifique las características de la lengua que utilizó el escritor. Subraye en el texto y luego escriba aquí las formas lingüísticas que el autor usa para…

- informar: _____

- expresar sus expectativas: _____

- expresar sus preocupaciones: _____

Estimados alumnos y comunidad universitaria:

Después de muchísima reflexión y discusión con el profesorado y la administración de la universidad, deseo informarles de algunos hechos que nos preocupan y de algunas decisiones que hemos tomado sobre dos problemas serios que nos afectan a todos: el costo de la matrícula y la calidad de la comida en las cafeterías.

En los últimos meses, los alumnos de esta universidad han demostrado su preocupación por el aumento del precio de la matrícula. Las manifestaciones y protestas, que han llegado a la violencia en algunos casos, son hechos que nuestra universidad lamenta profundamente. Es indudable que la violación de las normas de respeto de nuestro recinto universitario ha afectado nuestra convivencia, lo cual no podemos tolerar.

Además, tanto los alumnos como el personal administrativo se han quejado de la comida poco saludable de las cafeterías. De hecho, una gran mayoría de los alumnos ha decidido no consumir ningún producto en las cafeterías. Históricamente, la administración de la universidad se ha preocupado por la salud de sus miembros, y esta vez no haremos una excepción.

Por lo anteriormente expuesto, la universidad cumple con la obligación de informarles sobre las siguientes medidas con que esperamos solucionar los problemas indicados.

Con respecto a las protestas violentas provocadas por el alza de las matrículas, la universidad ha decidido prohibirlas. Es necesario que las diferencias de opiniones se expresen de manera constructiva y pacífica, como lo indican los reglamentos. En relación con la calidad de la comida de las cafeterías, se ha formado una comisión para estudiar la situación. La universidad espera que los estudiantes presenten sus quejas a este comité. Nos interesa que todos los miembros de nuestra comunidad reciban una alimentación sana.

Finalmente, esperamos que estas medidas nos ayuden a recuperar la armonía y sana convivencia entre nosotros.

Joaquín Barceló

Rector

8-30 Preparación. Primera fase. Hagan una lista de los problemas que afectan a su universidad o a la comunidad donde está su universidad. Los siguientes constituyen ejemplos.

- La falta de viviendas adecuadas
- El aumento de la drogadicción
- El abuso del alcohol

Seleccionen un problema y respondan a estas preguntas:

1. ¿Conocen ustedes alguna universidad donde no exista este problema?
2. ¿Dónde y bajo qué circunstancias ocurren eventos relacionados al problema?
3. ¿Hay algunos individuos o comunidades afectadas sistemáticamente por el problema?
4. ¿Por qué sucede este problema?
5. ¿Qué soluciones se proponen para resolver el problema? Expliquen.

Segunda fase. Hagan una investigación más profunda sobre el problema serio que discutieron en la *Primera fase*. Preparen algunas preguntas útiles para cubrir el tema con mayor objetividad.

8-31 ¡A escribir! Utilizando la información que usted recogió en la *Segunda fase* de la actividad **8-30,** escriba un editorial para el periódico de su universidad. Revise las estrategias para escribir una exposición (226) y siga el plan a continuación:

- Identifique el problema que usted discutirá en su texto y el efecto de este en los miembros de la comunidad.
- Informe a su público sobre los hechos relacionados con el problema.
- Organice sus datos lógica y coherentemente.
- Resuma el problema y las posibles soluciones.

8-32 ¡A editar! Lea su texto críticamente. Analice el contenido (cantidad, calidad de información, grado de interés para el lector/la lectora), forma del texto (cohesión y coherencia de las ideas) y la mecánica del texto (puntuación, acentuación, ortografía, mayúsculas, minúsculas, etc.). Haga los cambios necesarios para lograr el efecto deseado.

A explorar

08-43

8-33 A resolver problemas. Primera fase: Investigación. La vida moderna ha creado problemas sociales que deben solucionarse para el beneficio de todos. Primero escojan uno de los siguientes temas. Luego, busquen información en Internet y tomen nota de algunos de los efectos provocados por este problema y de algunas posibles soluciones.

- El hambre en el mundo
- La superpoblación
- Las enfermedades pandémicas, como el SIDA

Segunda fase: Preparación. Preparen una presentación con materiales visuales para informarles a sus compañero/as. Incluyan lo siguiente:

1. La situación actual del problema
2. Las consecuencias futuras si no se toman medidas urgentes
3. Maneras de solucionar el problema desde un punto de vista político, científico o tecnológico

Tercera fase: Presentación. Hagan su presentación y respondan a las preguntas de sus compañeros.

8-34 La historia se vive. Primera fase: Investigación. Busquen un artículo en Internet sobre un acontecimiento social, nacional o internacional de interés común para ustedes. Tomen nota de los hechos.

Segunda fase: Preparación. Preparen una encuesta para averiguar la opinión de sus compañeros sobre el tema del artículo que leyeron en la *Primera fase*. Luego, pasen la encuesta y analicen los resultados.

Tercera fase: Presentación. Hagan una presentación en la que incluyan:

1. Una exposición de los hechos que leyeron en la *Primera fase*
2. Una discusión de las preguntas y los resultados de su encuesta

Vocabulario del capítulo **8**

En la sociedad

la apertura	*opening*
en conjunto	*as a whole, altogether*
el crecimiento	*growth*
la democracia	*democracy*
los derechos humanos	*human rights*
el desarrollo	*development*
la dictadura	*dictatorship*
la discriminación	*discrimination*
la droga	*drug*
el gobierno	*government*
la independencia	*independence*
el inversor/la inversora	*investor*
la libertad (de expresión)	*freedom (of speech)*
la lucha	*fight, struggle*
las mejoras	*improvements, progress*
el narcotráfico	*drug trafficking*
el negocio	*business*
el nivel de vida	*standard of living*
la población	*population*
el poder	*power*
la política	*politics*
el puesto	*position*
la recuperación	*recovery*
el recurso	*resource*
el rico/la rica	*wealthy person*
el yacimiento	*field, deposit*

La esclavitud

el barco	*ship*
el castigo físico	*physical punishment*
la esclavitud	*slavery*
la explotación	*exploitation*
la humillación	*humiliation*
el maltrato	*mistreatment*
la mano de obra	*labor, workforce*
la opresión	*oppression*

la potencia	*power (economic, military)*
el respeto	*respect*
el sufrimiento	*suffering*
el vasallo	*vassal*
la vejación	*abuse*
la violación	*violation*

Personas

el dictador/la dictadora	*dictator*
el esclavo/la esclava	*slave*
el/la traficante	*dealer, trafficker*

Características

emergente	*developing, emerging*
marginado/a	*outcast, marginalized*
oprimido/a	*oppressed*
político/a	*political*
propiciado/a	*favored*
repartido/a	*distributed*

Verbos

contar (ue)	*to tell; to count*
empezar (ie, c)	*to begin*
levantarse en contra de	*to rise up against; to protest*
luchar	*to fight*
privar	*to deprive*
resolver (ue)	*to solve*
respetar	*to respect*
soportar	*to bear, to tolerate*

Palabras y expresiones útiles

de acuerdo con	*according to*
el cuadro	*picture*
la enfermedad	*illness*
el hecho	*fact*
el país emergente	*a developing country*

Nuestro entorno físico

9

Objetivos comunicativos

- Reporting on geography and the environment
- Discussing causes and effects of current environmental problems
- Expressing purpose and conjecture
- Talking about future consequences of current situations

Contenido temático y cultural

- Natural resources and their preservation
- Natural phenomena
- Pollution and other environmental problems

Vista panorámica

La selva amazónica ocupa cerca del 60% del territorio peruano. El contraste climático entre la costa y la selva es extraordinario. En la selva llueve gran parte del año y su densa vegetación ayuda a purificar el aire, por lo que es conocida como el pulmón del planeta.

La pampa es una enorme extensión de tierra llana y fértil donde se cultivan cereales y se cría un ganado de excelente calidad. Ocupa una buena parte de Argentina, Uruguay y del sur de Brasil y es muy importante para la economía de estos países. La palabra *pampa* (*plain*) proviene de la lengua quechua.

España tiene una geografía variada, con costas en el Atlántico y en el Mediterráneo, con diversas cadenas de montañas y una inmensa meseta central. El clima varía según la región. El norte es lluvioso y el sur es más seco. La zona del Mediterráneo tiene temperaturas cálidas, mientras que en la meseta central los inviernos son fríos y los veranos son muy calurosos. En la imagen vemos un típico paisaje del norte del país.

El norte de Chile, donde se encuentra el desierto de Atacama, es uno de los lugares más secos del planeta.

Vista panorámica

Los paisajes de la Patagonia, en el sur de Chile y Argentina, son espectaculares. Los glaciares, las colonias de pingüinos y los parques nacionales le ofrecen al viajero la oportunidad de disfrutar plenamente de la naturaleza. En invierno, los vientos helados, las temperaturas bajo cero y la niebla dificultan mucho los viajes a esta zona. Este es el glaciar Perito Moreno.

El altiplano boliviano tiene una altura media de 3.500 metros. Allí se encuentra La Paz, la capital más alta del mundo. Al este del altiplano, están los valles y los llanos del Oriente. Los llanos ocupan un 70% del territorio nacional y se unen a las selvas de Brasil al este y a la región semiárida del Chaco, Argentina al sureste.

Muchas de las tierras del norte de México, como el desierto de Sonora, son áridas y secas, igual que una gran parte de la zona suroeste de Estados Unidos. El cactus es una planta autóctona que se adapta muy bien al clima de esa zona.

Millones de árboles se cortan cada día en la selva amazónica para dar lugar a nuevas zonas agrícolas y también a carreteras. Desgraciadamente, la deforestación tiene consecuencias graves para el medio ambiente.

A leer

09-01 to
09-10

Vocabulario en contexto

 9-1 Asociación. Asocie la descripción de algunos fenómenos relacionados con la geografía o el medio ambiente con la expresión apropiada. Luego, descríbale a su compañero/a el entorno físico del lugar donde usted nació, usando algunas expresiones.

1. __b__ capa que nos protege de los rayos infrarrojos de sol
2. __d__ zona árida, desértica
3. __a__ escasez o insuficiencia de agua
4. __e__ lugar donde plantamos o caminamos
5. __c__ elevación de las temperaturas de la Tierra
6. __g__ transformarse en hielo
7. __f__ efecto de sobrevivir
8. __h__ transformación del hielo en agua

a. sequía
b. ozono
c. efecto invernadero
d. Atacama
e. suelo
f. supervivencia
g. congelarse
h. derretirse

9-2 ¿El clima se está volviendo loco? Marque (✓) las afirmaciones con las que usted está de acuerdo. Explique por qué.

1. __✓__ El calentamiento de la Tierra, es decir, el aumento de la temperatura media, es evidente.
2. __✓__ La escasez prolongada de lluvia ha provocado la desertización en varias regiones.
3. _____ Solamente en África hay sequía, es decir, no llueve.
4. __✓__ El Niño y la Niña provocan inundaciones. Ciudades y pueblos quedan sumergidos.
5. __✓__ En algunos lugares se construyen muros de contención o represas (*dams*) para evitar que el agua de las inundaciones destruya las viviendas.
6. __✓__ En la actualidad el suelo es más fértil en muchas regiones del mundo. Hay más vegetación y menos desiertos.

 9-3 ¿Qué pasa? Observen las fotos a continuación y expliquen los fenómenos naturales, los grandes cambios que están ocurriendo en el medio ambiente y los esfuerzos por buscar fuentes alternativas de energía. Usen las expresiones de la caja u otras. Ahora digan cuál de las fotos les impactó más y por qué.

la amenaza	el desierto	florecer
la congelarse	emitir	el gas
la contaminación	la energía eólica	el hielo
la contención del mar	el esfuerzo	la inundación
derretirse	la fábrica	el ozono

⌃ 1. El glaciar Upsala en la Patagonia argentina en la actualidad

⌃ 2. Parque de energía eólica

⌃ 3. Efectos de la desertización

⌃ 4. Un camión intenta aplanar (*flatten*) los desperdicios en un basural.

Estrategias de lectura

1. Infórmese sobre el tema antes de leer.
   a. Fíjese en el título: "El calentamiento global, motivo de alarma".
   Vuelva a las actividades de *Vocabulario en contexto* y anote las palabras y expresiones asociadas con el tema.
   b. Piense en lo que ya sabe. ¿Qué sabe usted acerca del calentamiento global? ¿Por qué es un motivo de alarma?
2. Use la primera oración de cada párrafo para anticipar el contenido. Pase su marcador por la primera oración de cada párrafo. Luego, lea las oraciones para tener una idea del texto en su totalidad.

EXPRESIONES CLAVE

¿Comprende estas expresiones? Si tiene dudas, revise *Vocabulario en contexto* antes de leer el siguiente texto.

el calentamiento	la escasez
la capa	la sequía
congelarse	el suelo
la contención	sumergir(se)
derretirse	la supervivencia
la desertización	la zona desértica
el desierto	
el efecto invernadero	

LECTURA

El calentamiento global, motivo de alarma

El primer párrafo generalmente presenta la idea principal del texto. Al leer el párrafo, trate de identificar la idea central.

Desde que a mediados del siglo XIX terminó un período frío en nuestro planeta, la temperatura de la atmósfera y de los océanos ha aumentado poco a poco. Ha subido más rápidamente en las últimas décadas del siglo XX y en la primera del siglo XXI. Las alarmas se han encendido: si el calentamiento sigue a este ritmo, dentro de un siglo tendremos serios problemas de supervivencia. 5

En este párrafo se explica por qué suben las temperaturas atmosféricas. Al leer piense en cómo Ud. lo explicaría en sus propias palabras.

Los inviernos son ahora menos fríos, los veranos más calurosos, los períodos sin lluvia más largos y los huracanes más frecuentes. Según los científicos, esto se debe a un aumento de los gases de efecto invernadero en la atmósfera. El efecto invernadero es un fenómeno natural: el sol calienta el suelo y el calor emitido del suelo se atrapa en la atmósfera, debido principalmente a la presencia 10 desequilibrada de gases como el dióxido de carbono (CO_2). Aunque los gases de efecto invernadero son necesarios en proporciones adecuadas para evitar que los océanos se congelen, la retención del calor en la atmósfera afecta el clima de la Tierra. Lo preocupante es que el aumento de estos gases produzca un efecto invernadero superior al normal y que suba la temperatura en las capas más bajas 15 de la atmósfera. Según muchos científicos, no hay duda alguna de que esto es lo que está pasando actualmente.

¿Qué ha comprendido? Sin mirar el párrafo, explique en qué consiste el efecto invernadero y cómo funciona para que suban las temperaturas atmosféricas.

Desde hace años el intenso debate político sobre este tema se centra en si el aumento de los gases de efecto invernadero ha sido producido por el hombre. Mientras continúa el debate, nadie duda de que las consecuencias de este 20 aumento de las temperaturas, si se prolonga durante un siglo, serán desastrosas. Es posible que la mitad de los glaciares del mundo y el hielo del Polo Norte y del Polo Sur se derritan, inundando las costas y los valles y sumergiendo ciudades enteras bajo el agua. Por otro lado, la humedad y la lluvia serán más escasas y aumentarán las zonas desérticas, lo cual será muy grave para aquellos lugares 25 que ya sufren escasez de agua. También es probable que muchas zonas agrícolas se conviertan en desiertos y que numerosas especies de animales y plantas desaparezcan como consecuencia del cambio climático.

En este párrafo se da una lista de las consecuencias del efecto invernadero. ¿Cuáles son? Pase su marcador por ellas para recordarlas.

Al leer el párrafo, pase su marcador por estas palabras clave: *desertización, sequías, huracanes.* ¿Qué regiones del planeta están afectadas por estas condiciones climáticas?

De hecho, estos cambios en los ecosistemas ya están afectando a todo el mundo. En Oriente Medio, en África y en la cuenca (*basin*) del Mediterráneo el proceso 30 de desertización es alarmante, pero también en Estados Unidos hay regiones de California, Arizona, Nevada y Texas que sufren sequías cada vez mayores. Los huracanes del Caribe son cada vez más frecuentes y afectan a zonas más grandes debido en parte a que la evaporación del agua de los océanos es mayor a causa de las altas temperaturas. En un futuro no muy lejano, los gobiernos tendrán que 35 planificar obras de contención del mar en Nueva York, San Francisco y en numerosas ciudades costeras de otros países, como Valparaíso en Chile.

En cualquier caso, la velocidad a la que se está produciendo el cambio climático ha alertado no sólo a los científicos sino también a los políticos y a la sociedad en general. Sin duda, en los próximos años oiremos hablar mucho de este problema 40 y de sus posibles soluciones.

Comprensión y ampliación

9-4 Comprensión. Primera fase. Utilizando la técnica del resumen, conteste por escrito las siguientes preguntas basándose en la lectura.

1. ¿Cuáles son las principales causas de los cambios climáticos?
2. ¿Cuáles son los principales efectos de estos cambios?

Segunda fase. Lean varias veces sus respuestas individualmente y luego reúnanse para intercambiar oralmente sus resúmenes sin leerlos.

9-5 Ampliación. Primera fase. Basándose en la información del texto y en sus propios conocimientos, escriba una lista de problemas del medio ambiente en las siguientes áreas:

1. El aire
2. El agua
3. El suelo

Segunda fase. Seleccionen los seis problemas más interesantes de las listas que ustedes han hecho individualmente y preparen una lista en grupos. Luego, propongan soluciones para cada uno de los problemas.

MODELO: la extinción del atún (*tuna*)
   E1: *Es mejor prohibir la pesca del atún.*
   E2: *Quizá no sea bueno prohibir la pesca sino los métodos de extracción masiva.*

9-6 Conexiones. Busquen información en Internet sobre el Protocolo de Kyoto. Utilicen las siguientes preguntas como guía. Luego, preparen una presentación con fotos para la clase.

1. ¿Qué es el Protocolo de Kyoto?
2. ¿Cuáles son los puntos más importantes de este tratado?
3. ¿Cuáles son los puntos controvertidos?
4. ¿Cuándo entró en vigor (*went into effect*)?
5. ¿Qué países firmaron el tratado?
6. ¿Qué países no lo ratificaron? ¿Por qué?

Aclaración y expansión

09-11 to
09-21

The future tense

> Oye, Pancho, dicen que el gobierno **construirá** la planta nuclear en nuestro pueblo. ¡Eso **será** muy peligroso!

> No sé, pero tengo un plan. Tú y yo **nos casaremos** y **viviremos** lo más lejos posible de la planta.

- In addition to the present tense of **ir** + **a** + *infinitive* to express the future, Spanish also uses the future tense.

Vamos a viajar a los glaciares mañana.	*We are going to travel to the glaciers tomorrow.*
Viajaremos a los glaciares durante las vacaciones.	*We'll travel to the glaciers on our vacation.*

- The Spanish future tense can also be used to express probability or conjecture. English normally uses expressions like *probably*, *may*, *might*, and *I/we wonder*.

— ¿Qué tiempo **hará** en San José ahora?	*I wonder what the weather is like in San José now.*
— Lloverá mucho. Es época de lluvias.	*It is probably/It must be raining. It is the rainy season.*

- The future tense is formed by adding the endings **-é, -ás, -á, -emos, -éis, -án** to the infinitive of **-ar, -er,** and **-ir** verbs.

Future tense			
	hablar	**comer**	**vivir**
yo	hablar**é**	comer**é**	vivir**é**
tú	hablar**ás**	comer**ás**	vivir**ás**
Ud., él/ella	hablar**á**	comer**á**	vivir**á**
nosotros/as	hablar**emos**	comer**emos**	vivir**emos**
vosotros/as	hablar**éis**	comer**éis**	vivir**éis**
Uds., ellos/as	hablar**án**	comer**án**	vivir**án**

- The following verbs are irregular in the future tense. These verbs have irregular stems, but the endings are the same as those of the regular verbs.

Infinitive	New stem	Future forms
caber	**cabr-**	cabr**é**, cabr**ás**, cabr**á**, cabr**emos**, cabr**éis**, cabr**án**
poder	**podr-**	podr**é**, podr**ás**, podr**á**, podr**emos**, podr**éis**, podr**án**
querer	**querr-**	querr**é**, querr**ás**, querr**á**, querr**emos**, querr**éis**, querr**án**
saber	**sabr-**	sabr**é**, sabr**ás**, sabr**á**, sabr**emos**, sabr**éis**, sabr**án**
poner	**pondr-**	pondr**é**, pondr**ás**, pondr**á**, pondr**emos**, pondr**éis**, pondr**án**
tener	**tendr-**	tendr**é**, tendr**ás**, tendr**á**, tendr**emos**, tendr**éis**, tendr**án**
valer	**valdr-**	valdr**é**, valdr**ás**, valdr**á**, valdr**emos**, valdr**éis**, valdr**án**
salir	**saldr-**	saldr**é**, saldr**ás**, saldr**á**, saldr**emos**, saldr**éis**, saldr**án**
venir	**vendr-**	vendr**é**, vendr**ás**, vendr**á**, vendr**emos**, vendr**éis**, vendr**án**
decir	**dir-**	dir**é**, dir**ás**, dir**á**, dir**emos**, dir**éis**, dir**án**
hacer	**har-**	har**é**, har**ás**, har**á**, har**emos**, har**éis**, har**án**

> **LENGUA**
>
> Remember that the future form of **hay** is **habrá** (*there will be*) and that it is invariable.
> **Habrá** una inundación debido a las lluvias. **Habrá** muchas tierras inundadas debido a las lluvias.

9-7 Práctica. Para su clase de sociología, Pablo tiene que describir su visión del mundo en el futuro. Complete el texto para saber cómo se imagina la vida del futuro.

El mundo del futuro (1) _____será_____ (ser) bastante diferente del mundo presente. Por ejemplo, las ciudades (2) _se convertirán_ (convertirse) en urbanizaciones más pequeñas, pero autosuficientes. Nosotros no (3) _tendremos_ (tener) que ir a las tiendas para comprar, porque (4) _conseguiremos_ (conseguir) todo con un toque en los cientos de pantallas que (5) _estarán_ (estar) instaladas en las calles. En mi mundo del futuro no (6) _habrá_ (haber) congestiones en las carreteras. La gente (7) _se transportará_ (transportarse) por el aire en pequeños vehículos activados con energía solar.

En el mundo del futuro nosotros (8) _disfrutaremos_ (disfrutar) de más tiempo libre, pero (9) _viviremos_ (vivir) vidas más independientes y solitarias. Muchas personas (10) _dirán_ (decir) que la vida era mejor en el pasado.

9-8 ¡Un viaje espectacular! Usted y su familia van a visitar Chile. Refiriéndose al mapa, hágale preguntas al/a la agente de viajes (su compañero/a) para averiguar los detalles del viaje.

CULTURA

El cerro Santa Lucía fue el lugar donde se fundó la ciudad de Santiago en 1541. Con el fin de descentralizar, hace algunos años el congreso chileno se mudó al puerto de Valparaíso, que queda a unos 90 kilómetros al noroeste de la capital. El volcán Osorno, los saltos de Petrohué y el lago Todos los Santos están en el Parque Nacional Vicente Pérez Rosales, en la región de Los Lagos en el sur del país.

Usted quiere saber	Las respuestas del/de la agente
1. Línea aérea	Lan Chile
2. Duración del vuelo	Unas doce horas
3. Número de días en Santiago	Dos días y medio
4. Lugares para visitar cerca de Santiago	El cerro Santa Lucía y Valparaíso
5. Día y hora de salida para Puerto Montt	24 de enero: 4:15 p.m.
6. Lugares para visitar el 25 de enero	El volcán Osorno, los saltos de Petrohué y el lago Todos los Santos
7. Medios de transporte	Autobús y barco
8. Lugar donde alojarse	Un hotel cerca del lago

MODELO: Fecha de salida de Los Ángeles 21 de enero: 11:15 p.m.

E1 (turista): *¿Qué día/Cuándo saldremos de Los Ángeles?*

E2 (agente): *Saldrán el 21 de enero a las 11:15 de la noche.*

9-9 La opinión de los científicos. Basándose en su conocimiento de los problemas del medio ambiente, indiquen qué harán los individuos y los gobiernos en el futuro para resolver los problemas. Usen los verbos en la caja.

ahorrar	hacer
conservar	mantener
construir	planificar
crear	plantar
eliminar	proteger
evitar	reciclar
firmar	tener

Modelo: E1: *Los gobiernos harán cambios en su política para mejorar la situación ambiental.*
E2: *Los individuos tendrán que colaborar también. Reciclarán y conservarán la energía.*

1. Las emisiones de gases de efecto invernadero
2. Las energías alternativas
3. El transporte
4. La explotación no planificada de los recursos naturales
5. Los tratados internacionales
6. El uso de productos no contaminantes

9-10 Conjeturas. Primera fase. Observen las siguientes escenas y túrnense para conjeturar sobre las causas de lo que ven. Su compañero/a debe dar su opinión.

Modelo: E1: *¡Mira cuántos peces muertos hay en el primer dibujo! El agua de esta playa estará contaminada, ¿verdad?*

E2: *Es probable. La contaminación vendrá de los barcos que vemos allá lejos.*

1.

2.

3.

4.

5.

Segunda fase. Ahora hagan una lista de las medidas que probablemente se tomarán en el futuro para resolver estos problemas.

Modelo: *Probablemente se inventarán carros eléctricos que contaminen menos.*

9-11 Un artículo. Primera fase. Lean el siguiente artículo de la revista *Medio ambiente* y, según la gravedad del problema, pongan en orden de prioridad (1 a 5) los problemas que se mencionan.

¿Qué ocurrirá en nuestro planeta Tierra?

Los investigadores han estimado que el aumento de 1, 4 a 5, 8° C en las temperaturas tendrá estas consecuencias:

- _____ Subirá el nivel del mar de 0,009 a 0,88 metros hasta el año 2100, amenazando a millones de personas que habitan las zonas costeras y al turismo.
- _____ Empeorará en algunas partes de África la desertificación como respuesta a la escasez de lluvias y suelos húmedos.
- _____ Disminuirá en muchos países asiáticos la producción agrícola y, por extensión, la seguridad alimentaria.
- _____ Disminuirá en Australia y Nueva Zelanda la barrera de coral y sus habitantes tendrán problemas con la subida del nivel del mar.
- _____ Aumentará la posibilidad de inundaciones en Europa. En Sudamérica, las inundaciones y las sequías serán frecuentes.

Segunda fase. Ahora, comparen con el resto de la clase el orden de prioridad de los problemas y añadan una consecuencia nueva a cada uno de estos problemas.

MODELO: *Algunas playas desaparecerán. En América del Norte, por ejemplo, la subida del mar intensificará la erosión en la costa.*

9-12 El futuro de mi región. Primera fase. Escriba una lista de por lo menos tres problemas relacionados con el medio ambiente de su región o país que resultaron de las acciones del ser humano. Considere las siguientes áreas:

Áreas	Problemas
1. El clima	
2. La degradación ambiental	
3. La energía	

Segunda fase. Ahora comparta los tres problemas de la *Primera fase* con su compañero/a y seleccionen el más urgente de resolver. Luego planifiquen una campaña en la que digan qué harán para resolver el problema.

MODELO: *Mi compañero/a y yo pondremos carteles en el campus para pedirles a los alumnos que eviten usar aerosoles.*

The conditional

¿Qué **haría** usted con los responsables?
¿Qué castigo les **daría**?
¿Los **obligaría** a limpiar las calles?
Envíeme sus ideas a
delitosmedioambientales@policía.com

- The use of the conditional in Spanish is similar to the use of the construction *would + verb* in English to express what one would do or what would happen in a hypothetical situation.

Yo **leería** más sobre el problema para entenderlo mejor.	*I **would read** more about the problem to understand it better.*

- Spanish also uses the conditional to express probability in the past.

Sería la década de los ochenta cuando la concienciación social empezó a aumentar.	***It was probably/It must have been** the 1980s when social consciousness started to increase.*

- When English *would* implies *used to*, Spanish uses the imperfect.

Cuando éramos chicos, **reciclábamos** papel solamente.	*When we were young, we **would (used to) recycle** only paper.*

Conditional tense			
	hablar	**comer**	**vivir**
yo	hablar**ía**	comer**ía**	vivir**ía**
tú	hablar**ías**	comer**ías**	vivir**ías**
Ud., él/ella	hablar**ía**	comer**ía**	vivir**ía**
nosotros/as	hablar**íamos**	comer**íamos**	vivir**íamos**
vosotros/as	hablar**íais**	comer**íais**	vivir**íais**
Uds., ellos/as	hablar**ían**	comer**ían**	vivir**ían**

- Verbs that have an irregular stem in the future have the same irregular stem in the conditional.

Infinitive	New stem	Conditional forms
caber	**cabr-**	cabría, cabrías, cabría, cabríamos, cabríais, cabrían
poder	**podr-**	podría, podrías, podría, podríamos, podríais, podrían
querer	**querr-**	querría, querrías, querría, querríamos, querríais, querrían
saber	**sabr-**	sabría, sabrías, sabría, sabríamos, sabríais, sabrían
poner	**pondr-**	pondría, pondrías, pondría, pondríamos, pondríais, pondrían
tener	**tendr-**	tendría, tendrías, tendría, tendríamos, tendríais, tendrían
valer	**valdr-**	valdría, valdrías, valdría, valdríamos, valdríais, valdrían
salir	**saldr-**	saldría, saldrías, saldría, saldríamos, saldríais, saldrían
venir	**vendr-**	vendría, vendrías, vendría, vendríamos, vendríais, vendrían
decir	**dir-**	diría, dirías, diría, diríamos, diríais, dirían
hacer	**har-**	haría, harías, haría, haríamos, haríais, harían

9-13 Práctica. Alguien le envía este mensaje por correo electrónico a la policía. Complételo con el condicional para saber qué piensa el público sobre las personas que ensucian las calles.

De: pericolospalotes@gmail.com
Para: *delitosmedioambientales@policía.com*

A quien concierna:

Me (1) _gustaría_ (gustar) darles algunas ideas para resolver definitivamente el mal hábito de quienes tiran basura por las calles. Yo (2) _obligaría_ (obligar) a los niños a asistir a clases sobre el medio ambiente. Las clases les (3) _enseñarían_ (enseñar) buenos hábitos. La primera vez que los chicos adolescentes tiran la basura en la calle, ellos (4) _pagarían_ (pagar) una multa y, la segunda vez, (5) _recolectarían_ (recolectar) la basura de las calles por un mes. Todos nosotros (6) _deberíamos_ (deber) ser responsables de proteger la salud ambiental. ¿No creen que (7) _sería_ (ser) una buena idea ofrecer clases a los padres para que la protección del medio ambiente empezara en casa? ¿(8) _Tendrían_ (Tener) ustedes interés en tener voluntarios como yo para entrenar en las escuelas? Me (9) _encantaría_ (encantar) colaborar.

9-14 ¿Qué haría usted en esta situación? Primera fase. Usted está paseando por un parque donde ocurren algunas irregularidades. Escoja las oraciones que expresan lo que usted haría. Proponga respuestas alternativas.

1. Durante su paseo usted ve que alguien tira una lata de refresco vacía en el césped.
   a. Le diría que no es bueno tirar basura en el parque. *Pondría la basura*
   b. Continuaría mi paseo sin decir nada.
2. Usted tira descuidadamente el envoltorio (*wrapping*) de un chocolate que acaba de comer en el césped y una persona lo/la ve.
   a. Me iría del lugar rápidamente. *Revolvería el lugar y tomaría el envoltorio*
   b. Le explicaría a la persona por qué tiré el envoltorio.

LENGUA

The conditional of some verbs, such as **deber, poder, querer, preferir, desear,** and **gustar,** is used to express a polite request or to soften suggestions and statements.

¿**Podría** decirme más sobre el calentamiento de las regiones polares?

Could you tell me more about the warming of the polar regions?

Me **gustaría** saber más sobre este tema.

I would like to know more about this topic.

LENGUA

The conditional form of **hay** is **habría** (*there would be*) and it is invariable.

Pensó que **habría** más esmog en el valle.

*He thought **there would be** more smog in the valley.*

3. Un perro, que corre por el parque sin su dueño, quiere estar con usted y lo/la sigue por el parque.
   a. Trataría de huir rápidamente del perro.
   b. Buscaría un policía o un empleado del parque para pedirle ayuda.
4. Usted se da cuenta de que cinco perros lo/la siguen ahora, y que muchas personas los miran a usted y a los perros con mucha curiosidad. La gente no puede entender por qué usted sale a la calle con tantos perros.
   a. Les explicaría que los animales no son míos.
   b. Les diría que yo no sé por qué me siguen.
5. De repente los perros empiezan a atacarse unos a otros.
   a. Saldría corriendo del parque.
   b. Trataría de separarlos para evitar que se hicieran daño.

 Segunda fase. Compare sus respuestas con las de su compañero/a. Luego, inventen el final de esta situación. Después, comparen su final con el de otra pareja y seleccionen el mejor.

9-15 Un oso (*bear*) en el vecindario. Primera fase. Algunos vecinos han visto un oso en su vecindario. Muy preocupados, todos discuten las medidas que se deben tomar. Marque (✓) las más importantes o lógicas para resolver este problema y añada una.

1. ___✓___ Mantener todas las puertas y ventanas cerradas todo el tiempo
2. ___✓___ No dejar ningún depósito de basura con comida fuera de la casa
3. _____ Dejar comida con veneno (*poison*) en algunos lugares estratégicos
4. ___✓___ Tener tiradores (*marksmen*) expertos para lanzarle tranquilizantes desde lejos
5. _____ Prohibir todo tipo de reunión nocturna en el vecindario
6. _____ Salir solo/a a la calle para pasear a los perros
7. ___✓___ Llamar a la policía para vigilar (*watch*) el vecindario

 Segunda fase. Hable con su compañero/a sobre lo que usted haría o no haría basándose en la información de la *Primera fase*. Su compañero/a debe hacerle preguntas para obtener más detalles.

MODELO: E1: *Yo no llamaría a la policía para vigilar el vecindario.*
E2: *¿A quién llamarías entonces?*
E1: *No llamaría a nadie porque . . .*

9-16 Para proteger el medio ambiente. Primera fase. Usted ha creado la siguiente lista de medidas para combatir la crisis medioambiental. Pregúnteles a sus compañeros/as cuáles de estas medidas tomarían ellos, cuáles no y por qué.

MODELO: E1: *¿Cuáles de estas medidas tomarías tú?*
E2: *Yo usaría el transporte público y cubriría las ventanas con plástico en el invierno.*

1. Usar transporte público; usar lo menos posible los autos privados
2. Llevar sus propias bolsas a las tiendas
3. Mantener la casa/el apartamento un poco más frío en el invierno
4. Proteger las ventanas con plástico para ahorrar energía
5. Recoger fondos para plantar árboles en la ciudad
6. Participar en las campañas de limpieza en los lagos, ríos y bosques cerca de su universidad
7. Ducharse con agua fría

Segunda fase. Hagan una lista de las cinco medidas más importantes de la *Primera fase*. Luego, comparen su lista con la de otros grupos. ¿Son sus listas semejantes o diferentes? Defiendan su opinión.

9-17 Una donación. Su organización ha recibido una donación de cien mil dólares para resolver un problema específico del medio ambiente en su localidad. Intercambien ideas y escriban por lo menos tres propuestas para utilizar el dinero. Luego, comparen sus ideas con las de otra pareja. Presenten una de las propuestas a la clase.

MODELO: *Usaríamos la donación para crear un programa de reciclaje de plástico en todos los edificios de la universidad.*

Nuestros recursos naturales

Antes de ver

9-18 Recursos naturales. Asocie los recursos naturales con sus usos.

① _____ la madera

② _____ el agua

③ _____ los vientos

④ _____ el sol

⑤ _____ los minerales

⑥ _____ el petróleo

⑦ _____ los productos agrícolas

a. para hacer funcionar coches y otros medios de transporte
b. para crear energía eólica
c. para la alimentación
d. para calentar paneles que acumulan su energía
e. para construir casas y muebles
f. para producir energía hidráulica
g. para crear utensilios y productos metálicos

 ### Mientras ve

9-19 ¿Cierto o falso? Indique si las siguientes afirmaciones son ciertas (**C**) o falsas (**F**) según la información del video. Si la información es falsa, corríjala.

Sobre el agua:

① _____ Los recursos naturales de América Latina son limitados.

② _____ Los ríos Orinoco, Amazonas, Paraná y de la Plata transportan más o menos el 30% del agua dulce del mundo.

③ _____ La demanda de agua está en directa proporción al crecimiento de la población.

Sobre los bosques:

④ _____ En 1980, América Latina contaba con más del 20% del total de bosques del planeta.

⑤ _____ Hoy en día, el total de bosques de América Latina ha aumentado.

⑥ _____ La deforestación está relacionada con el creciente valor de las importaciones de productos forestales.

⑦ _____ El Protocolo de Kyoto es un acuerdo internacional para contrarrestar las tendencias mundiales de deforestación.

Después de ver

9-20 El Protocolo de Kyoto. Primera fase. En este video se señalan tres medidas acordadas por los países de América Latina en el Protocolo de Kyoto. Marque (✓) las que corresponden.

① _____ Promoverán las exportaciones de productos forestales para activar las economías nacionales.

② _____ Promoverán la forestación y reforestación.

③ _____ Reducirán las emisiones de los gases de efecto invernadero.

④ _____ Presentarán planes para usar más eficazmente el agua y los otros recursos naturales.

 Segunda fase. Discutan los posibles efectos que habría para la economía, el medio ambiente y las relaciones internacionales si las medidas acordadas en el Protocolo de Kyoto no se cumplieran. ¿Qué consecuencias habría para las futuras generaciones?

A leer

Vocabulario en contexto

9-21 El medio ambiente es de todos. Lea las definiciones relacionadas con el medio ambiente y conéctelas con la descripción correspondiente.

1. <u>C</u> deforestación o tala
2. <u>D</u> selva tropical
3. <u>f</u> pluviosidad
4. <u>b</u> ecosistema
5. <u>a</u> terreno de pasto
6. <u>g</u> ganado

a. suelo con abundante hierba de la que sirve de alimento para los animales

b. comunidad de seres vivos cuya vida y desarrollo están relacionados por los factores ambientales que comparten

c. proceso de cortar árboles o arbustos y no plantar otros

d. lugar donde abundan la lluvia y las altas temperaturas

e. terreno extenso, no cultivado que tiene abundancia de árboles

f. cantidad de lluvia que cae en un lugar durante un período determinado de tiempo

g. grupo de animales que generalmente viven juntos

9-22 Descripciones. Observen las imágenes y respondan a las siguientes preguntas. Usen expresiones de la actividad **9-21**.

a. ¿Qué representa esta foto?
b. ¿Muestra esta foto una imagen positiva o negativa del medio ambiente?
c. ¿Qué problemas o soluciones sobre el medio ambiente se asocian con estas fotos?

⌃ Selva de Centroamérica   *positiva*

Selva tropical
muchos árboles, río
deforestación
la tala

⌃ Ganado pastando en Chile con el volcán Osorno a la distancia

negativa

terreno de pasto
inundaciones, sequía

^ Petróleo sobre una playa *negahva*

la contaminación

el derrame de petróleo

^ Una mujer replantando árboles *positiva*

 9-23 ¿Problema o solución? Indiquen si los siguientes son problemas (**P**) o soluciones (**S**) relacionados con el medio ambiente. Luego, decidan cuál de los problemas se debe resolver con más urgencia en su región o país. ¿Por qué?

1. ___P___ La extinción de algunas especies de pájaros y otros animales en los diversos ecosistemas
2. ___P___ La desaparición de la selva tropical como consecuencia de la construcción de carreteras
3. ___S___ La reforestación de los bosques y la selva
4. ___S___ Reforzar, es decir, vigorizar o fortificar, la protección del aire, el suelo y el agua
5. ___S___ La aplicación de planes de conservación y recuperación de especies amenazadas
6. ___P___ Convertir los terrenos cultivables en terrenos de pasto para alimentar al ganado
7. ___P___ La plantación excesiva de soja en las granjas para aumentar las ganancias de las compañías multinacionales
8. ___S___ Frenar el uso excesivo de gases contaminantes

 9-24 ¿Qué se debe hacer? Primera fase. El Ministerio del Medioambiente pide la participación del público para resolver dos problemas medioambientales serios. Escojan uno de los problemas y expliquen qué plan implementarían ustedes.

Problemas:

1. Los agricultores han plantado y explotado (*exploited*) sus terrenos sin ninguna planificación. Por eso, la tierra está degradada a niveles peligrosos.
2. Las autoridades han permitido la construcción de pozos de petróleo que se han roto y han contaminado el mar.

 Segunda fase. Presenten su propuesta a la clase. Discutan las ventajas y posibles desventajas y la manera en que su plan resolvería el problema.

Estrategias de lectura

1. Infórmese sobre el tema antes de leer.
   a. El título del texto, "La Amazonía en peligro", ayuda a anticipar el contenido. ¿Qué asocia con el título? ¿Qué tipo de región es la Amazonía? ¿Qué tipos de animales y plantas viven allí? Entre todos, hagan una lluvia de ideas (*brainstorm*), escribiendo todas las asociaciones que puedan.
   b. Piense en lo que ya sabe. Si el texto trata de los problemas relacionados con la Amazonía, ¿de qué tipo de problemas se va a hablar en el texto? Escriba una lista de ellos.

2. Mire las fotos y lea sus anotaciones. ¿Qué información saca de ellas sobre el contenido del texto?

 LECTURA

La Amazonía en peligro

El mayor ecosistema tropical del mundo, la selva de la Amazonía, se encuentra en grave peligro. Un 40% de su tamaño podría
5 desaparecer antes del año 2050 según un estudio publicado recientemente en la prestigiosa revista *Nature*.

El científico brasileño Britaldo
10 Silveira Soares-Filho, de la Universidad de Minas Gerais (Belo Horizonte, sur de Brasil), asegura en este estudio que la selva

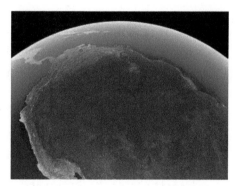
⌃ La Amazonía vista desde el espacio

tropical de la Amazonía se está reduciendo a un ritmo alarmante debido a la
15 deforestación. La actividad humana que más gravemente está afectando la selva amazónica consiste en la eliminación de los bosques para ampliar los campos de cultivo de soja y para ganar terrenos de pasto para el ganado. La soja se emplea mayoritariamente para la industria del alimento de animales de granja. Como dijo Jeremy Rifkin, presidente de *Foundation on Economic Trends,* "estamos destruyendo
20 el Amazonas para alimentar vacas". El incremento en las ventas de carne de res brasileña es el factor principal de esta actividad.

El primer párrafo de un texto generalmente resume la idea central. Identifique la idea central al leer.

En este párrafo se explica la causa del problema en la Amazonía. Al leer, fíjese en ella.

¿Qué ha comprendido? ¿Cuál es el motivo de la deforestación? Explique el significado de la cita de Jeremy Rifkin.

En este párrafo se explican las consecuencias de la deforestación. Al leer, fíjese en ellas.

En este párrafo se habla del calentamiento global. Explique la conexión entre la deforestación y el calentamiento de la Tierra.

Si no se frena el actual ritmo de deforestación con medidas proteccionistas, la selva amazónica sufrirá una reducción de entre 5,3 y 3,2 millones de kilómetros cuadrados antes del año 2050, según el estudio de *Nature*. Es urgente, por tanto, que la legislación brasileña refuerce la protección de la Amazonía ampliando las áreas declaradas reserva forestal. Dicho estudio dice también que la deforestación amazónica podría afectar el calentamiento global de la Tierra. La desaparición de los árboles en áreas tan extensas haría aumentar en miles de millones de toneladas el dióxido de carbono de la atmósfera e intensificaría el efecto invernadero. Por esta razón, una reducción tan grande de la masa vegetal de la biosfera no sólo reduciría la pluviosidad en América del Sur, sino que podría acelerar el calentamiento global.

Al norte de Brasil la deforestación ha alcanzado proporciones espectaculares.

La Amazonía, con una extensión de siete millones de kilómetros cuadrados, es además un tesoro biológico que vale la pena conservar por su rica biodiversidad. Es la reserva biológica más importante del mundo, con miles de especies de insectos, plantas, pájaros y otras formas de vida, muchas de las cuales todavía no han sido catalogadas por la ciencia.

25
30
35
40
45

Comprensión y ampliación

9-25 Comprensión. Conteste las siguientes preguntas según la información del artículo.

1. ¿Por qué está en peligro la selva amazónica?
2. ¿Qué factores contribuyen a la deforestación de la Amazonía?
3. ¿Cuál es la opinión de los científicos de la revista *Nature* sobre este problema?
4. ¿Cuál es la relación entre la deforestación y el calentamiento global?
5. ¿Qué otras consecuencias tiene la deforestación para el planeta?
6. ¿Por qué es importante la Amazonía?

9-26 Ampliación. Primera fase. Comenten los problemas ecológicos más importantes que sufre actualmente el lugar donde ustedes viven. Comenten estos problemas con el resto de la clase usando las preguntas siguientes como guía:

1. ¿Cuáles son los problemas ecológicos de su región?
2. ¿Cuál es, en su opinión, la solución para estos problemas?
3. ¿Qué esperan o desean que ocurra en el futuro en relación con estos problemas?

Segunda fase. Describan en un breve párrafo uno de los problemas indicados en *Primera fase* y expliquen sus posibles soluciones.

9-27 Conexiones. Busque en Internet un artículo en español sobre un aspecto relacionado con la ecología. Haga lo siguiente:

1. Resuma el artículo.
2. Prepare una breve presentación para la clase en la que describa el artículo y exprese su opinión sobre el tema.

 ## A escuchar

9-28 Predicciones para el futuro. El señor Galván, miembro de la Sociedad Futurista Mexicana pronostica cambios para el futuro. Escuche sus pronósticos e indique si las afirmaciones son ciertas (**C**), falsas (**F**) o si no sabemos (**NS**) porque la información no se mencionó en la conversación.

1. _____ Con tal que el calentamiento global siga al paso que va, las zonas urbanas y rurales verán cambios drásticos de temperatura.
2. _____ Debemos hacer algo para frenar el aumento de la temperatura de todo el mundo antes de que cause más problemas de salud.
3. _____ El aumento de la temperatura beneficiará a algunas personas enfermas.
4. _____ Necesitamos hacer algo para que no mueran muchas personas a causa del calor, como ya ocurrió en Europa.
5. _____ Los médicos empezarán a usar la realidad virtual para que las víctimas de paros cardíacos o infartos recuperen el movimiento de sus extremidades.
6. _____ Un beneficio de la realidad virtual es que elimina la necesidad de mover las extremidades.
7. _____ Será posible ir de un lugar a otro sin usar las carreteras.
8. _____ Se construirán vehículos especiales para los pacientes con enfermedades provocadas por el calentamiento global.

9-29 ¿Qué haremos y cómo? Escojan uno de los siguientes problemas y digan qué harán ustedes como ciudadanos para ayudar a aliviar cada uno de ellos y cómo lo harán.

- El calentamiento global
- La condición de pacientes con enfermedades serias
- La congestión de tráfico en las ciudades

Aclaración y expansión

09-35 to
09-43

Indicative and subjunctive in adverbial clauses

- The adverbial conjunctions below always require the subjunctive when followed by a dependent clause.

a menos que	*unless*
antes (de) que	*before*
con tal (de) que	*provided that*
en caso (de) que	*in case that*
para que	*so that, in order that*
sin que	*without*

Los ingenieros han diseñado autos **para que usen** menos gasolina.	*Engineers have designed cars **so that** they **use** less gasoline.*
Los autos híbridos cambian de gasolina a electricidad **sin que** nadie **tenga** que programarlos.	*Hybrid cars change from gasoline to electricity **without** anyone **having** to program them.*

- The infinitive is used after **para, antes de,** and **sin** when there is no change of subject.

Prueban los autos eléctricos **antes de venderlos.**	*They test electric cars before selling them.*
Prueban los autos eléctricos **antes de que** las compañías los **vendan.**	*They test electric cars **before** the companies **sell** them.*

- The expressions below may be followed either by the indicative or the subjunctive when introducing a dependent clause.

aunque	although, even though, even if
como	as; how, however
cuando	when
después (de) que	after
donde	where, wherever
en cuanto	as soon as
hasta que	until
mientras	while
según	according to; as
tan pronto (como)	as soon as

- When the main clause and the dependent clause refer to actions or events that have taken place or usually take place, use the indicative in the dependent clause.

El oficial anunció el acuerdo **tan pronto (como)** lo **firmó.**

The official announced the agreement **as soon as** he **signed** it.

Él responde a las preguntas de los periodistas **cuando se reúne** con ellos.

He answers the journalists' questions **when** he **meets** with them.

- When the main clause indicates that the action or event will take place in the future, use the subjunctive in the dependent clause.

El oficial anunciará el acuerdo **tan pronto (como)** lo **firme.**

The official will announce the agreement **as soon as** he **signs** it.

Él va a responder a las preguntas de los periodistas **cuando se reúna** con ellos.

He is going to answer the journalists' questions **when** he **meets** with them.

- When **como** and **donde** refer to something definite or known, use the indicative. If they refer to something indefinite or unknown, use the subjunctive.

Van firmar el acuerdo **donde** el oficial **quiere.**

They are going to sign the agreement **where** the official **wishes** (it is known).

Van a reunirse para firmar el acuerdo **donde** el oficial **quiera.**

They are going to sign the agreement **wherever** the official **may wish** (it is not known).

- **Aunque** requires the subjunctive when it introduces a condition not regarded as a fact.

Van a limpiar los ríos de la ciudad **aunque sea** caro.

They are going to clean up the rivers of the city **although** it **may be** expensive.

9-30 Práctica. Complete las oraciones con el subjuntivo o el infinitivo de los verbos entre paréntesis.

1. Tomás va a hacer estudios avanzados de ecología después de _terminar_ (terminar) su carrera.
2. Susana piensa viajar a la Amazonía cuando _estudie_ (estudiar) en Argentina el próximo semestre.
3. Los miembros de Club Ciclismo no usan autos a menos que _sea_ (ser) necesario.
4. Uno puede hacerse socio del club con tal de que _prometa_ (prometer) vender su carro.
5. Después de _tomar_ (tomar) refrescos en sus reuniones, siempre reciclan las botellas.
6. Hacen publicidad para _frenar_ (frenar) la compra excesiva del agua en botellas.
7. En cuanto la ciudad _mejore_ (mejorar) la calidad del agua, empezaré a tomarla.
8. Aunque los oficiales _digan_ (decir) que el agua no está contaminada, no me atrevo (*dare*) a tomarla.
9. Tan pronto como nosotros _nos graduemos_ (graduarse) de la universidad, vamos a trabajar para traer agua potable a todos los habitantes de este barrio.
10. Habrá cambio en cuanto _nos pongamos_ (ponernos) todos a colaborar en el proyecto.

9-31 El sueño de un inventor. El científico Carlos Cernuda se reúne con una compañía multinacional que le ha hecho una oferta por un invento suyo. Llene los espacios en blanco con el subjuntivo o el infinitivo de los verbos entre paréntesis para saber qué sucedió.

Carlos Cernuda inventó un pequeño aparato que mantiene la temperatura ideal en las diferentes partes de la casa. Este aparato funciona sin (1) _____ (hacer) ruido. Por lo tanto, puede estar en cualquier lugar de la casa sin que nadie (2) _____ (oír) nada. Hoy Carlos Cernuda tiene una reunión con una compañía multinacional que le ha hecho una oferta por su invento, así que antes de (3) _____ (salir) de su casa, lee las cartas que le enviaron para (4) _____ (estar) seguro de que entiende todos los detalles de la propuesta.

Carlos llega temprano a la cita y tiene que esperar un momento antes de (5) _____ (pasar) al salón de conferencias. Aprovecha ese tiempo para revisar sus notas antes de que la secretaria le (6) _____ (decir) que puede pasar. Carlos está dispuesto a hacer algunas concesiones en el contrato con tal de que la compañía (7) _____ (comenzar) la producción este año. También espera que la compañía prepare una buena campaña de publicidad para que el público (8) _____ (saber) cuáles son las ventajas de su invento.

9-32 ¿Cómo será nuestra vida en el futuro? Completen las oraciones con el final que les corresponde. Fíjense en el contexto y también en la forma verbal correcta. Luego, escojan tres de las oraciones de la columna de la izquierda y complétenlas con sus propias ideas.

1. _____ Se podrá programar los robots para que…
2. _____ Las personas vivirán muchos más años a menos que…
3. _____ Todos veremos las condiciones del tráfico en las minicomputadoras antes de…
4. _____ Las computadoras estarán en todas partes para…
5. _____ Haremos todas las compras desde la casa sin…
6. _____ Habrá más oportunidades de trabajo para que…
7. _____ Todos los cursos se ofrecerán en Internet sin que…
8. _____ La contaminación ambiental continuará a menos que…

a. facilitarles la vida a las personas.
b. los alumnos tengan que ir a la universidad.
c. hagan el trabajo de la casa.
d. salir para el trabajo.
e. las industrias decidan cuidar el medio ambiente.
f. sufran un accidente grave.
g. los padres puedan mantener a su familia.
h. tener que ir a las tiendas.

9-33 El apartamento ecológico de nuestros amigos. Primera fase. Dos de sus compañeros van a alquilar un apartamento. Completen las oraciones con el final que les corresponde.

1. _____ Vieron el anuncio cuando…
2. _____ Decidieron ver el apartamento después de que…
3. _____ Uno de ellos revisó el apartamento con cuidado mientras…
4. _____ El apartamento es pequeño, pero según el dueño…
5. _____ Les encantó la distribución del apartamento aunque…
6. _____ No pagarán el depósito hasta que…
7. _____ Se mudarán al apartamento tan pronto como…
8. _____ Se ocuparán de la decoración después de que…

a. estén instalados.
b. leyeron el periódico *Medio ambiente*.
c. no es grande.
d. el otro examinaba el aislamiento (*insulation*) térmico de las paredes.
e. es cómodo y se ahorra mucha energía.
f. el dueño repare un problema en el baño.
g. termine este semestre.
h. el dueño les dijo que se calentaba con energía solar.

Segunda fase. Su compañero/a y usted han decidido mudarse juntos/as a un apartamento muy moderno. Primero, describan el apartamento.

MODELO: El apartamento es... / tiene...

Ahora hablen de sus planes completando las siguientes oraciones. Finalmente, compartan sus planes con otra pareja.

1. Vamos a pintar el apartamento tan pronto como...
2. Nos mudaremos después que...
3. Queremos comprar algunos muebles cuando...
4. Vamos a invitar a nuestros amigos en cuanto...

9-34 Las casas del futuro.

Muchos arquitectos van a presentar sus proyectos en el concurso el hogar del futuro. Complete el texto con el indicativo, el subjuntivo o el infinitivo de los verbos para saber qué ha hecho una de los concursante.

Ayer la arquitecta Rosa Fuentes estuvo trabajando todo el día en el diseño de la casa que va a presentar en el concurso. Revisó la maqueta y los planos hasta que (1) se sintió (sentirse) completamente satisfecha con lo que tenía. Finalmente, decidió irse a casa. Cuando (2) llegó (llegar), descansó un rato, miró su programa favorito de televisión, y tan pronto como (3) terminó (terminar) el programa, se puso a pensar en todo lo que tenía que hacer al día siguiente.

"Tendré que levantarme en cuanto (4) suene (sonar) el despertador y luego bañarme rápidamente. En cuanto (5) pueda (poder), saldré para la oficina. Tan pronto (6) llegue (llegar) mi asistente, llevaremos la maqueta al salón de exhibición. Creo que mi casa del futuro va a ser todo un éxito. No sabremos los resultados hasta que los jueces (7) tomen (tomar) su decisión. Aunque nosotros no (8) ganemos (ganar) ningún premio, me siento muy contenta con lo que hemos hecho. Ahora sé que en el futuro voy a diseñar casas para que (9) sean (ser) ecológicamente más eficientes. Además, tan pronto como (10) termine (terminar) este concurso haré nuevos diseños".

ALGO MÁS

Verbs followed by an infinitive

- Some Spanish verbs, such as **gustar, deber, querer, necesitar, poder,** and **preferir,** are followed directly by an infinitive.

Muchas personas **quieren mejorar** el medio ambiente.	*Many people **want to improve** the environment.*
Les **gusta reciclar** metales y plástico y **reusar** el papel y las bolsas.	*They **like to recycle** metal and plastic and **reuse** paper and bags.*

- With other verbs, a preposition is required before the infinitive. There are no general rules regarding which preposition is needed, except for verbs of motion (**entrar, ir, salir, venir**) and verbs that express beginning (**empezar / comenzar / ponerse**), which require **a** before the infinitive.

Camila **vino** a Estados Unidos **a hacer** sus estudios de posgrado en ingeniería.	*Camila **came** to the United States **to do** her graduate work in engineering.*
Después de graduarse, **empezó a trabajar** en nuestra oficina y nos hicimos amigas.	*After she graduated, she **started to work** in our office and we became friends.*

- Here are some other Spanish verbs that need a preposition before an infinitive.

invitar a	*to invite*
acordarse de	*to remember*
dejar de	*to stop / to quit* (doing something)
encargarse de	*to take charge*
olvidarse de	*to forget*
preocuparse de/por	*to worry about*
tratar de	*to try*
soñar con	*to dream about*
insistir en	*to insist on*
quedar en	*to agree on* (e.g., a meeting)

9-35 La activista incansable. Complete la descripción de la señora López usando los verbos de la lista. OJO: Preste atención a las preposiciones en el texto.

acordar	gustar	olvidarse
dejar	invitar	querer
empezar	insistir	soñar

La señora López, una activista de la organización ecologista Planeta Azul (1) _____ a las autoridades a observar con ella los efectos de la tala de árboles en la Amazonía. Ella (2) _____ en que los políticos locales tomen medidas para solucionar este problema ecológico. Los políticos tienen otras prioridades y a veces (3) _____ de pensar en los efectos que este problema puede tener para el planeta. Todas las mañanas muy temprano la señora López (4) _____ a escribir mensajes con fotos de la desforestación para distribuir entre los políticos locales. Siempre (5) _____ de escribir a las compañías que sacan beneficios de la tala de árboles. La señora López (6) _____ en educar a los jóvenes porque (7) _____ continuar la lucha para preservar la Amazonía. Le (8) _____ hablar con gente joven y (9) _____ con un futuro en el que se respete la naturaleza.

9-36 Ecologista ilusionado/a. Usted será responsable de establecer un programa de recuperación de la cuenca del Amazonas. Un/a periodista (su compañero/a) lo/la entrevista utilizando las preguntas a continuación u otras adicionales.

1. ¿Por qué decidió encargarse de establecer este programa?
2. ¿A qué país de la cuenca amazónica va a ir? ¿Dónde va a vivir?
3. ¿Qué sueña con realizar allí los primeros meses?
4. ¿Qué tratará de hacer cuando conozca los detalles sobre los problemas de la zona?
5. ¿Qué necesita usted para poner en marcha sus planes?

A escribir

09-44

Estrategias de redacción: la argumentación

Argumentar es defender un punto de vista con razones y hechos. Para convencer al lector, el autor de un texto argumentativo expone cuidadosamente sus opiniones y las defiende con datos y hechos comprobados, siguiendo, por lo general, una organización como la siguiente:

1. Presentar una tesis breve y clara que representa su opinión sobre el tema.
2. Presentar argumentos que fortalecen la tesis: razones, datos, estadísticas y hechos.
3. Presentar una opinión contraria y atacarla, explicando sus puntos débiles.
4. Resumir el contenido del ensayo y afirmar eliminate de nuevo de la tesis defendida a lo largo del texto.

9-37 Análisis. El siguiente texto discute el tema del medio ambiente. Léalo y luego determine (✓) lo siguiente.

1. El lector potencial de esta carta es…
   a. _____ un público especializado en temas ambientales.
   b. _____ un lector general.
2. La autora de la carta tiene el/los siguiente(s) propósito(s):
   a. _____ Quiere despertar el interés por el medio ambiente entre el público en general.
   b. _____ Critica la actitud pasiva del público frente a la destrucción del medio ambiente.
3. El artículo tiene la siguiente estructura:
   a. _____ Hay una introducción, un cuerpo y una conclusión.
   b. _____ Hay una introducción y un cuerpo, pero no hay una conclusión.
   c. _____ Los argumentos se exponen en un orden lógico.
4. La lengua que utiliza la escritora para lograr su propósito tiene las siguientes características:
   a. _____ Usa preguntas provocativas para hacer pensar a los lectores.
   b. _____ Utiliza un lenguaje más íntimo, de amigo para lograr la confianza de los lectores.
   c. _____ Ejemplifica para sustentar su visión del problema.
   d. _____ Propone soluciones al problema de la destrucción del medio ambiente.
   e. _____ Usa el indicativo para fundamentar los hechos.

Estimado señor editor:

Después de leer su artículo "¿Y a usted le importa el medio ambiente?" resulta imposible ignorar la preocupante realidad que se vive en nuestro planeta. Por eso, escribirle era la opción más sensata para continuar el diálogo con los lectores sobre las actitudes y los comportamientos de los ciudadanos comunes frente al medio ambiente.

Se sabe que el planeta Tierra, sus habitantes, su flora y fauna, tienen serios problemas. No es un secreto que el hambre, la extinción de muchas especies animales y vegetales, el agujero de la capa de ozono, la contaminación del aire, los mares y ríos, etc. han sido causados por el desinterés, la apatía e irresponsabilidad del ser humano.

La tierra no produce como antes porque se ha abusado de ella por siglos. Por consiguiente, hay falta de comida, hambre y desnutrición en el mundo. Si se está desnutrido o enfermo de gravedad, no se puede trabajar; por lo tanto, los niveles nacionales de producción bajan. Si no se produce, las economías no crecen y, en algunos casos, se colapsan. ¿Se puede hacer algo o ya no hay nada que hacer? ¿Cómo se puede romper este círculo de destrucción para garantizarles a los niños una vida tan larga como la que usted y yo hemos vivido?

Finalmente, termino preguntándole: ¿Qué se debe hacer para salvar el planeta? ¿Y qué se puede hacer para despertar interés e incentivar una actitud proteccionista del medio ambiente? Si no se hace nada, ¿qué otros problemas veremos?

Atentamente,

Preocupada

9-38 Preparación. Vuelva a leer la carta de *Preocupada* y prepárese para responder a las tres preguntas en el último párrafo. Los siguientes pasos le serán útiles.

1. Determine el público potencial de su texto.
2. Decida el tipo de texto que redactará: una carta al periódico local, un artículo para una revista científica, un ensayo para su clase de medio ambiente, etc.
3. Indique su objetivo al escribir este texto.
4. Dependiendo de su público lector, seleccione la información que incluirá en su texto.
5. Planifique algunas estrategias para captar el interés de sus lectores: un título provocativo, preguntas, invitación a la reflexión, etc.

9-39 ¡A escribir! Ahora responda a las preguntas de *Preocupada* utilizando la información que recogió en la actividad **9-38**.

9-40 ¡A editar! Después de unas horas, lea su escrito, pensando en su lector. Haga lo siguiente:

● Afine sus ideas.

● Asegúrese que ha hecho la distinción entre las opiniones y los hechos.

● Aclare aquellos puntos confusos y asegúrese de que el vocabulario sea preciso.

● Mejore el estilo de su texto. Varíe el vocabulario. Use sinónimos y antónimos.

● Verifique la precisión de las estructuras gramaticales que usó.

● Revise la ortografía, los acentos, la puntuación, etc.

A explorar

09-45

9-41 Desastres ecológicos. Primera fase: Investigación. Hagan una investigación sobre un desastre ecológico causado por los seres humanos: un derrame (*spill*) de petróleo, un incendio, el desecho (*waste*) de sustancias químicas o basura, erosión de terrenos, etc. Hagan lo siguiente:

1. Identifiquen el tipo de desastre y los responsables.
2. Tomen nota de dónde y cómo ocurrió.

Segunda fase: Preparación. Preparen una hoja informativa que le enseñe a la población del lugar a prevenir un desastre ecológico semejante al de la *Primera fase*. La hoja informativa debe incluir lo siguiente:

1. El tipo de desastre
2. Una enumeración de las acciones irresponsables de los ciudadanos o las compañías
3. Una descripción de los efectos de esta conducta en el medio ambiente
4. Algunas recomendaciones para resolver el problema o eliminar el peligro para la vida humana / animal / vegetal

Tercera fase: Presentación. Hagan su presentación usando la información que prepararon en la *Segunda fase*. Incluyan fotos y descríbanlas.

9-42 Organizaciones ecologistas. Primera fase: Investigación. En los países hispanos, al igual que en el resto del mundo, hay numerosas organizaciones ecologistas que trabajan para preservar la Tierra y sus recursos. Busque en Internet algunas de estas organizaciones. Escoja una y tome nota de lo siguiente:

1. Localización de la organización
2. Los objetivos de la organización
3. Una o dos acciones que hizo esta organización para resolver o protestar por algún problema ecológico

Segunda fase: Preparación. Prepare una presentación sobre la organización ecologista que investigó, incluyendo fotos y su opinión personal sobre la misión de esta organización y sus estrategias de trabajo.

Tercera fase: Presentación. Comparta con la clase la información que recogió en la *Primera fase* y describa las fotos que incluye.

La geografía

la altura	*height*
la Amazonía	*Amazon*
el bosque	*forest, woods*
el campo	*countryside*
la costa	*coast*
el desierto	*desert*
el llano	*plain*
la meseta	*plateau*
la selva	*jungle*
la selva tropical	*rainforest*
el (terreno de) pasto	*pasture*
el valle	*valley*
la zona desértica	*desert*

El medio ambiente

la amenaza	*threat*
la atmósfera	*atmosphere*
la basura	*garbage, waste*
el calentamiento	*warming*
la calidad del aire	*air quality*
el cambio climático	*climate change*
la capa de ozono	*ozone layer*
la conservación	*conservation*
la contaminación	*pollution*
la contención del mar	*sea wall*
la deforestación	*deforestation*
la degradación	*deterioration*
el derrame	*spill*
la desertización	*desertification*
el dióxido de carbono	*carbon dioxide*
el ecosistema	*ecosystem*
el efecto invernadero	*greenhouse effect*
la energía eólica	*wind power*
la escasez	*scarcity*
la especie	*species*
la extinción	*extinction*
la fábrica	*factory*
la granja	*farm*
el hielo	*ice*
la inundación	*flood*
la pluviosidad	*rainfall*
la protección	*protection*
el reciclaje	*recycling*
la sequía	*drought*
el suelo	*earth, ground*
la supervivencia	*survival*
la tala	*cutting, felling (trees)*

Características

alto/a	*high, tall*
árido/a	*arid*
caluroso/a	*hot*
fluvial	*fluvial, pertaining to a river*
helado/a	*frozen*
húmedo/a	*humid*
medioambiental	*environmental*
montañoso/a	*mountainous*
seco/a	*dry*
variado/a	*varied*

Verbos

advertir (ie, i)	*to warn*
ahorrar	*to save*
congelarse	*to freeze (over)*
contaminar	*to pollute, to contaminate*
criar	*to raise*
degradar	*to degrade*
derretirse (i, i)	*to melt*
evitar	*to avoid*
frenar	*to curb*
fundirse	*to melt*
llover (ue)	*to rain*
multar	*to fine*
ocupar	*to occupy*
pescar (q)	*to fish*
preservar	*to preserve*
proteger (j)	*to protect*
recoger (j)	*to gather*
reforzar (ue) (c)	*to reinforce, strengthen*
sumergir (se)	*to submerge*
tirar	*to throw away, dispose of*

Palabras y expresiones útiles

a lo largo de	*along, all through*
la carretera	*road*
de repente	*suddenly*
el peligro	*danger*
tomar medidas	*to take steps, measures*
la soja	*soy, soybean*

Notas: For verbs that require a preposition before an infinitive, see page 259.

Nuestro futuro

10

Objetivos comunicativos
- Talking about current issues and values
- Giving opinions on controversial issues

Contenido temático y cultural
- Globalization and multinational corporations
- Advantages and disadvantages of technology

A pesar de los aspectos positivos de la globalización, con frecuencia se señala el alto costo que pagan los trabajadores. En muchos casos, la producción en países pobres se lleva a cabo (*is carried out*) en condiciones deplorables, en fábricas de explotación laboral (*sweatshops*). Pero también se dice que muchos trabajadores en los países desarrollados pierden sus trabajos, pues estos se van a países donde los salarios son más bajos.

En esta nueva economía global, los países ya no son entidades aisladas, sino piezas de un complejo puzzle donde los obreros de un país fabrican productos diseñados en otro, utilizando materiales producidos en un tercer país para venderlos en otro país diferente. El mundo, pues, se ha convertido en una red interconectada por la que circulan grandes cantidades de dinero, mercancías e información.

Los adelantos en tecnologías de la comunicación durante las últimas décadas, especialmente Internet y los teléfonos móviles, forman la base de una nueva economía mundial. Las computadoras y los teléfonos establecen conexiones entre culturas diferentes propiciando lo que algunos llaman una *aldea global*. Además ofrecen grandes oportunidades económicas, tanto a los países desarrollados, como a los que están en vías de desarrollo.

Vista panorámica

Imágenes como esta serán mucho más comunes en el futuro, a medida que el uso de la energía alternativa sea más común. En efecto, una de las áreas donde la innovación es más necesaria es, precisamente, en el desarrollo de nuevas fuentes de energía que nos permitan liberarnos de la dependencia del petróleo y otras energías derivadas de fósiles, tales como el carbón.

Grandes avances en la medicina moderna nos permiten prever que, por ejemplo, las prótesis del futuro serán mucho más realistas y funcionales que las de hoy. Estas prótesis estarán conectadas al cerebro y por lo tanto podrán ser controladas mentalmente como si fueran parte del cuerpo.

La nanotecnología, es decir, el diseño de aparatos infinitamente pequeños, tendrá efectos muy importantes en muchas áreas de la vida futura. La nanotecnología ya empieza a utilizarse en la medicina, e inclusive se están empezando a diseñar máquinas microscópicas que pueden inyectarse en el organismo humano para hacer operaciones, erradicar tumores malignos o llevar medicinas precisamente a las células que las necesitan sin afectar a las demás.

El movimiento hacia electrodomésticos inteligentes y conectados es ya una realidad en nuestros días. Basta pensar en las televisiones actuales que pueden conectarse a Internet para acceder a cine, juegos y otras formas de entretenimiento.

PRIMERA PARTE

A leer

10-01 to 10-10

Vocabulario en contexto

 10-1 Asociaciones globales. Marque (✓) los conceptos que usted asocia con la globalización. Luego, compare sus respuestas con las de su compañero/a.

1. ____ La exportación de bienes de consumo
2. ____ La valoración de la mano de obra nacional
3. ____ El cierre de fábricas o industrias
4. ____ El aumento de impuestos
5. ____ Las medidas proteccionistas por parte de los gobiernos
6. ____ El estímulo del mercado de valores nacional
7. ____ La prosperidad económica
8. ____ El aumento de la pobreza
9. ____ Los tratados de comercio
10. ____ El impulso o el incentivo de la industria nacional

10-2 ¿Ventaja o desventaja? Primera fase. Indique si los siguientes fenómenos representan una ventaja (**V**) o una desventaja (**D**) para los países.

1. ____ La caída del mercado de valores, es decir la bolsa
2. ____ El progreso económico de todos
3. ____ La pérdida de puestos de trabajo
4. ____ La disminución del empleo en los países en vías de desarrollo
5. ____ La creación de pequeñas industrias
6. ____ El aumento de las inversiones extranjeras
7. ____ El aumento del turismo
8. ____ El empleo infantil
9. ____ La pérdida de una casa porque el dueño no puede pagar su hipoteca
10. ____ El aumento de la venta de acciones en la bolsa

 Segunda fase. Escriban una lista de por lo menos cuatro efectos de la globalización en su comunidad o país. Den ejemplos. ¿Cuál perjudica (*harms*) más a la comunidad, según ustedes? Digan por qué.

 10-3 Efectos de la globalización. Observen las siguientes imágenes y hagan lo siguiente:

1. Describan el entorno de cada foto y a las personas cuando sea apropiado.
2. Indiquen qué aspecto relacionado con la globalización presenta cada foto. También determinen si este fenómeno existe en su comunidad o país.
3. Opinen a favor o en contra del tema de cada foto. Si la foto presenta un problema, propongan una solución.

CULTURA

Los adelantos e inventos del siglo XV promovieron la navegación en los océanos, lo cual permitió el descubrimiento de otras tierras y el intercambio de culturas. En los siglos XVIII y XIX, las máquinas de vapor revolucionaron el transporte por tierra y por mar. Hoy en día, el uso de la tecnología facilita el transporte, el comercio y la comunicación entre los pueblos.

a. _____
_____
_____
_____
_____
_____
_____

b. _____
_____
_____
_____
_____
_____
_____

c. _____
_____
_____
_____
_____
_____
_____

Estrategias de lectura

1. Use el título para anticipar el contenido.
   Lea el título: "Ventajas e inconvenientes de la globalización". ¿Conoce la palabra *inconvenientes*? Es un cognado falso; no significa *inconveniences* en el sentido de "incomodidades". Si no conoce la palabra, búsquela en el diccionario.
2. Puesto que el texto trata de opuestos (ventajas e inconvenientes), el autor presenta dos perspectivas sobre cada tema. ¿Qué tipo de texto presenta perspectivas opuestas sobre un tema: un reportaje de un evento o un ensayo sobre un tema social?
3. Use la primera oración de cada párrafo para anticipar el contenido. Pase su marcador por la primera oración de cada párrafo. Luego, lea las oraciones para tener una idea del texto en su totalidad.

LECTURA

Ventajas e inconvenientes de la globalización

🗨 Como el título indica, este texto trata de ventajas e inconvenientes. ¿Cómo empieza el texto, con las ventajas o con los inconvenientes?

En las últimas décadas, el comercio internacional ha crecido mucho más de lo que los economistas podían prever hace sólo 30 años. El desarrollo tecnológico ha favorecido la comunicación y las transacciones económicas intercontinentales. Además, muchas fábricas se han trasladado a países que tienen una mano de obra más rentable para las empresas. De este comercio internacional se benefician   5
las grandes compañías multinacionales, pero también los países que reciben inversiones extranjeras, algunos de los cuales—China e India sobre todo—se están industrializando rápidamente. Los países en vías de desarrollo pueden vender sus productos agrícolas en los países desarrollados gracias a que varios tratados internacionales han bajado los impuestos para la exportación. Los   10
bienes de consumo producidos en cualquier rincón del planeta se venden hoy en cualquier otro lugar; por eso se puede afirmar que existe un mercado global que ha unido la economía de casi todos los países del mundo y los ha hecho interdependientes. Este proceso de internacionalización del comercio es una de las caras de la llamada *globalización.* 🗨   15

🗨 Vuelva a leer el párrafo y pase su marcador por todas las ventajas de la globalización que encuentre.

🗨 Este párrafo trata del impacto de la internacionalización en la economía de los países. Al leer, busque el problema que provoca la internacionalización.

La otra cara es la internacionalización del mercado financiero. La liberalización de los movimientos del capital y la posibilidad de comprar o vender acciones de cualquier empresa del mundo a través de Internet son dos fenómenos que han dado un gran impulso a la actividad financiera internacional. Las bolsas de los distintos países son dependientes entre sí, por lo que puede decirse que ya hay   20
un solo mercado de valores, lo que conlleva un importante riesgo: si se originara una fuerte crisis económica en un país, arrastraría al resto de los países del mundo en "efecto dominó". Algo parecido ha ocurrido recientemente. Aunque muchos economistas sabían que este riesgo existía, no pudieron predecir la crisis de 2008, originada en la banca de Estados Unidos a causa de las deudas de   25
las hipotecas de alto riesgo (*subprime*), lo cual ha tenido gravísimos efectos en las economías de España y de los demás países europeos. 🗨

🗨 ¿Qué es el efecto dominó que se menciona en este párrafo? Explíquelo en sus propias palabras.

La globalización ha generado un gran debate en torno a sus ventajas e inconvenientes. Los defensores de la globalización sostienen que los países pobres
30 tienen ahora más oportunidades para el desarrollo, y que los índices de pobreza extrema se están reduciendo drásticamente en las regiones que participan en la globalización. Por el contrario, los críticos advierten que el proceso de internacionalización del comercio perjudica a las pequeñas o medianas empresas nacionales, que no pueden competir con las multinacionales; por otro lado, añaden
35 los críticos, si hubiera un mayor control estatal de las economías y se reforzaran las medidas proteccionistas, la economía dejaría de estar en manos de las grandes empresas y no seríamos tan dependientes de cualquier crisis económica que se produjera más allá de nuestras fronteras.

El mundo está cambiando rápidamente y es difícil valorar los efectos de la globalización. Sólo si pudiéramos viajar en el tiempo y viéramos el estado de la
40 economía mundial en el año 2050 podríamos decir con seguridad si los efectos de la globalización han generado más ventajas que problemas. Hoy por hoy, se puede asegurar que el mundo se ha hecho más próspero, pero también más vulnerable.

En este párrafo se presenta una ventaja de la globalización y un inconveniente. Al leer, pase su marcador por los dos.

Según el autor del texto, ¿tiene la globalización más ventajas o más inconvenientes? ¿Dónde lo dice?

Comprensión y ampliación

10-4 Comprensión. Asocie los conceptos con las explicaciones más apropiadas.

1. __d__ las transacciones económicas intercontinentales
2. __a__ la mano de obra
3. __e__ los países en vías de desarrollo
4. __b__ los países desarrollados
5. __f__ las acciones
6. __c__ las medidas proteccionistas

a. Se refiere a las personas que trabajan.
b. Son países con una industria potente y un alto nivel de vida.
c. Son políticas que implementan los gobiernos para proteger la economía nacional.
d. Son las actividades comerciales entre distintos países.
e. Son países en proceso de industrialización.
f. Son partes en que está dividido el capital de una empresa.

10-5 Ampliación. Primera fase. Al leer el texto, usted subrayó y anotó algunas de las ventajas e inconvenientes de la globalización, según el autor. Complete el siguiente cuadro con sus propias notas. También puede añadir otras ideas.

Ventajas	Inconvenientes
Las fábricas se trasladan a países que tienen una mano de obra más rentable.	Las pequeñas o medianas empresas no pueden competir con las multinacionales.
Los países en vías de desarrollo pueden vender sus productos.	Si hay una crisis, se produce el "efecto dominó".

Segunda fase. Comparen sus notas y escriban un breve resumen del artículo incluyendo las siguientes ideas.

1. Una definición de la globalización
2. Las ventajas e inconvenientes de la globalización
3. La solución para algunos problemas provocados por la globalización

 10-6 Conexiones. Escriban una lista de las empresas internacionales que conocen. Luego, hagan una investigación sobre una de esas empresas teniendo en cuenta lo siguiente:

1. Qué productos vende la empresa
2. Dónde se producen
3. Dónde se venden
4. Qué tratados internacionales existen entre los países que manufacturan los productos y los que los venden

Aclaración y expansión

10-11 to
10-18

The imperfect subjunctive

In previous chapters you have used the present subjunctive. Now you will start using the imperfect subjunctive, which is also called the past subjunctive.

- The imperfect subjunctive is formed using the **ustedes, ellos/as** form of the preterit. Drop the **-on** preterit ending and add the past subjunctive endings. Note the written accent in the **nosotros/as** form.

	hablar	**comer**	**vivir**	**estar**
Imperfect subjunctive				
	(hablar–)	(comier–)	(vivier–)	(estuvier–)
yo	habla**ra**	comie**ra**	vivie**ra**	estuvie**ra**
tú	habla**ras**	comie**ras**	vivie**ras**	estuvie**ras**
Ud., él/ella	habla**ra**	comie**ra**	vivie**ra**	estuvie**ra**
nosotros/as	hablá**ramos**	comié**ramos**	vivié**ramos**	estuvié**ramos**
vosotros/as	habla**rais**	comie**rais**	vivie**rais**	estuvie**rais**
Uds., ellos/as	habla**ran**	comie**ran**	vivie**ran**	estuvie**ran**

- While the present subjunctive is oriented to the present or the future, the imperfect subjunctive normally focuses on the past.

Present or future → Present subjunctive

Es necesario que **comprendamos** las muchas facetas de la globalización.

It is necessary that we understand the many facets of globalization.

Se publicará el informe cuando **se termine** la conferencia.

The report will be published when the conference ends.

Preterit, imperfect, conditional → Imperfect subjunctive

Recomendó que la conferencia sobre la globalización **no fuera** muy técnica.

She recommended that the lecture on globalization not be very technical.

Dudaba que los estudiantes **comprendieran** los análisis económicos detallados.

She doubted that the students would understand the detailed economic analyses.

La conferencia **sería** más clara si la presentadora **usara** imágenes visuales.

The lecture would be clearer if the presenter used visual images.

- In general, the same rules that apply to the use of the present subjunctive also apply to the use of the imperfect subjunctive.

1. Expressing wishes, hope, emotions, advice, and doubts

El economista esperaba que su público **hiciera** preguntas después de su presentación.

The economist hoped that the audience would ask questions after his presentation.

Ojalá (que), which you learned about in Capítulo 5, is followed by the imperfect subjunctive when you want to express a desire that something in the present or future could be different from how it is:

Ojalá que no tuviera que estudiar todo el fin de semana. *I wish I didn't have to study all weekend.*

Ojalá que hiciera mejor tiempo hoy. *I wish the weather were better today.*

2. Referring to unknown or nonexistent antecedents

No había nadie que **conociera** el tema mejor que él.	*There was no one who **understood** the topic better than he did.*

3. After adverbial expressions that require the subjunctive: **a menos que, sin que, para que,** etc.

La profesora organizó una reunión para que los estudiantes **pudieran** hablar con el economista informalmente.	*The professor arranged a meeting so that the students **would be able** to talk with the economist informally.*

• Use the imperfect subjunctive after the expression **como si** (*as if, as though*). The verb in the main clause may be in the present or in the past.

El público reaccionó como si la globalización no nos **afectara** a todos.	*The audience reacted as though globalization **did not affect** us all.*

10-7 Práctica. Escriba la forma apropiada del imperfecto de subjuntivo de los verbos entre paréntesis.

1. El director quería que Carlota y Samuel _hicieran_ (hacer) una presentación en la conferencia.
2. Les pidió que _hablaran_ (hablar) sobre los productos nuevos.
3. Pero Carlota dudaba que _fuera_ (ser) un tema apropiado para esa conferencia.
4. Samuel le dijo al director que sería mejor que Carlota _tratara_ (tratar) otro tema.
5. Los dos preferían que su presentación _tuviera_ (tener) un enfoque principal sobre la política económica de la compañía, no sobre sus productos.
6. Esperaban que el público _respondiera_ (responder) con más interés, ya que era una conferencia académica, no comercial.
7. Además, no habría nadie en la conferencia que _quisiera_ (querer) vender sus productos.
8. Al final, el director les dijo a Carlota y a Samuel que _escribieran_ (escribir) una presentación de acuerdo con su visión del propósito de la conferencia.

10-8 La fábrica que no pudo modernizarse. Una fábrica afectada por la globalización cerrará. Su dueño habla con uno de los administradores. Complete el siguiente texto con el imperfecto de subjuntivo del verbo entre paréntesis para saber lo que ocurrió.

DUEÑO: Era necesario que nosotros (1) _empezáramos_ (empezar) el proceso de modernización hace cinco años, pero no lo hicimos. Yo insistía en que usted (2) _analizara_ (analizar) la situación, pero no lo hizo. Ahora hemos perdido todo.

ADMINISTRADOR: Desgraciadamente, usted tiene razón, señor. Yo dudaba que el problema (3) _fuera_ (ser) tan grave. No me gustaba que usted (4) _repitiera_ (repetir) las mismas preocupaciones todas las semanas. Era esencial que yo (5) _estudiara_ (estudiar) el mercado para que nosotros (6) _hiciéramos_ (hacer) una nueva estrategia. Yo acepto la responsabilidad de la situación.

DUEÑO: Yo también debería aceptar una gran parte de la responsabilidad. Yo quería que usted (7) _se encarg_ (encargarse) de todos los aspectos de la producción y del presupuesto. Le pedí que (8) _asumiera_ (asumir) demasiada responsabilidad.

ADMINISTRADOR: No hablemos más de culpa y responsabilidad. ¿Qué hacemos ahora?

DUEÑO: Me reuní ayer con mi abogado. Me aconsejó que yo (9) _vendiera_ (vender) la fábrica. También me sugirió que yo (10) _contratara_ (contratar: *to hire*) a unos especialistas en recursos humanos (*human resources*), para que ellos nos (11) _ayudaran_ (ayudar) a buscarles trabajo a los empleados.

ADMINISTRADOR: Puede contar con toda mi ayuda y apoyo, señor. Ojalá que nosotros (12) _pudiéramos_ (poder) mejorar la situación.

10-9 La comunicación en nuestra era tecnológica. Escojan las actividades que ustedes recomendarían para incentivar la comunicación entre los amigos.

Modelo: Salir a tomar un café con amigos
    E1: *Yo les aconsejaría que salieran a tomar un café por lo menos dos veces por semana.*
    E2: *Me parece muy bien. Y yo les recomendaría que…*

1. ____ Llamar a los amigos por teléfono
2. ____ Mandarse mensajes por correo electrónico
3. ____ Buscar actividades para disfrutar juntos
4. ____ Salir con un amigo diferente todas las semanas
5. ____ Invitar a los amigos a formar parte de su comunidad de amigos en Facebook
6. ____ Hacer actividades solitarias en su tiempo libre, como leer, escribir poesía o caminar en las montañas

10-10 Efectos de la globalización. Primera fase. Túrnense para comentar lo que a ustedes les gustaría que pasara en la sociedad donde viven con respecto a los temas a continuación. Su compañero/a debe añadir un comentario relacionado.

Modelo: Los trabajadores agrícolas
    E1: *Me gustaría que los trabajadores agrícolas tuvieran mejores condiciones de trabajo.*
    E2: *De acuerdo. También sería bueno que vendieran sus productos a un precio más alto.*

1. Los desempleados
2. Las empresas multinacionales
3. El trabajo infantil
4. Los vinos chilenos
5. Los coches japoneses
6. Los productos agrícolas nacionales

Segunda fase. Escriba un párrafo que incluya dos efectos positivos y dos efectos negativos que la globalización ha tenido en su comunidad (país, región o ciudad).

La inmigración

Antes de ver

10-11 Emigrar, una difícil y compleja decisión. Observe las siguientes razones e identifique las que, en su opinión, justifican viajar a otros países (**V**) o emigrar (**E**).

❶ _____ Para hacer nuevos amigos

❷ _____ Para escapar de regímenes dictatoriales

❸ _____ Para conseguir una mejor situación laboral

❹ _____ Para aprender otros idiomas

❺ _____ Para evitar la persecución religiosa

❻ _____ Para continuar una carrera universitaria

❼ _____ Para irse de vacaciones

❽ _____ Para conocer el lugar de sus ancestros

 ### Mientras ve

10-12 ¿Cierto o falso? Indique si las siguientes afirmaciones son ciertas (**C**) o falsas (**F**) según la información que aparece en el video. Si la respuesta es falsa, corrija la información.

❶ _____ Todos los seres humanos aspiran a vivir en otro país.

❷ _____ La presencia de distintos grupos étnicos en España es un fenómeno nuevo.

❸ _____ En la actualidad, se estima que el 10% de la población española está compuesto de extranjeros.

❹ _____ Los inmigrantes que llegan a España son todos latinoamericanos.

❺ _____ Los guatemaltecos son el grupo más numeroso de inmigrantes latinoamericanos en España.

❻ _____ Todos los inmigrantes latinoamericanos tienen automáticamente ciudadanía española.

Después de ver

10-13 Inmigrantes y emigrantes. Primera fase. Algunas personas creen que España debe ayudar a todos los ciudadanos latinoamericanos. Marque (✓) las razones que podrían justificar esta opinión.

❶ _____ La mayor parte de los países latinoamericanos fueron colonias de España.

❷ _____ La mayoría de los ciudadanos de América Latina hablan español.

❸ _____ A los españoles no les gusta trabajar en la construcción.

❹ _____ Gran parte de la población latinoamericana es de ascendencia española.

❺ _____ España debe ayudar a todos los países del tercer mundo.

❻ _____ España necesita mano de obra extranjera.

 Segunda fase. Escriba una o dos oraciones que resuman el tema del segmento que acaba de ver. Incluya su opinión sobre las razones que justifican la emigración. Intercambie su resumen con su compañero/a y discutan su punto de vista.

SEGUNDA PARTE

📖 A leer

0-23 to
10-32

Vocabulario en contexto

10-14 ¿Herramientas útiles o inútiles? Primera fase. Indique (✓) si usted tiene o no los siguientes aparatos y máquinas. Luego, si no los tiene, indique si le gustaría tenerlos.

	Lo/La tengo	No lo/la tengo	Me gustaría tenerlo/la
una computadora tipo *tablet*		✗	
una computadora de pantalla táctil		✗	
un iPhone	✗		
una cámara digital		✗	
una consola para los videojuegos		✗	
una computadora portátil	✗		
un teclado inalámbrico (*wireless*)			
un teléfono celular inteligente	✗	✗	

 Segunda fase. Compare su lista de la *Primera fase* con sus compañeros/as y escojan los dos aparatos que, según ustedes, son los más útiles. Expliquen su selección a la clase.

 10-15 La importancia de la tecnología. Primera fase. Indiquen si están de acuerdo o no con las siguientes afirmaciones. Expliquen por qué o den ejemplos.

	Sí	No
1. La gente usa tecnología para localizar a alguien y para chatear.	✗	
2. Muchas personas usan Facebook o Twitter para mantenerse en contacto con otros.	✗	
3. Algunos usan tecnología para quedar con amigos, es decir, para hacer planes.	✗	
4. Los usuarios de la tecnología surfean Internet para encontrar rebajas.	✗	
5. Muchas personas sufren estrés cuando tienen que hacer funcionar un aparato electrónico.	✗	
6. Cuando la conexión a Internet no es buena, es difícil recibir imágenes o videos en la pantalla.	✗	
7. A veces podemos pillar o encontrar a un amigo conectado simultáneamente en Internet.	✗	
8. Ciertas personas prefieren la comunicación virtual porque lo pasan genial, sin tener que gastar dinero.	✗	

Segunda fase. Explique en uno o dos párrafos el efecto de la tecnología en su vida. Incluya la siguiente información:

1. Los aparatos eléctricos o electrónicos que usted tiene
2. La frecuencia con que usted los usa y para qué
3. Un aparato eléctrico o electrónico que usted usa que lo/la afecta positivamente y uno que lo/la afecta negativamente. Explique el efecto que ambos tienen en usted.

 10-16 ¡Qué fácil nos hacen la vida! Primera fase. Digan para qué sirve cada una de las siguientes máquinas o aparatos electrodomésticos.

MODELO: El abrelatas
Se usa para abrir latas de comida (canned food).

1. El microondas
2. El lavaplatos
3. La computadora
4. El teléfono móvil
5. La batidora
6. El frigorífico

Segunda fase. Escoja dos aparatos de la *Primera fase*. Explíquele a su compañero/a por qué las personas generalmente dependen de ellos.

Estrategias de lectura

1. Piense en el significado del título. ¿De qué manera representa la tecnología liberación o esclavitud?
2. Observe las ilustraciones. ¿Qué representan las ilustraciones, la tecnología como liberación o la tecnología como esclavitud? ¿Qué visión del futuro presentan: una visión positiva o negativa? ¿Qué puede descubrir al ver las ilustraciones solamente?
3. Lea las leyendas (*captions*). Ahora lea las leyendas de las ilustraciones. ¿Qué más sabe usted ahora acerca de la visión del futuro que representan?
4. Anticipe el contenido del texto.
    a. Observe el formato. ¿Qué tipo de texto es, un ensayo o una conversación? ¿Cómo lo sabe?
    b. Busque palabras conocidas. ¿Qué palabras o frases vienen directamente del inglés? ¿De qué tipo de conversación trata el texto, una conversación cara a cara o una conversación virtual? ¿Cómo lo sabe?

La tecnología: ¿liberación o esclavitud?

La casa del futuro

[nota manuscrita: Positiva]

➢ En la cocina del futuro habrá un uso generalizado de pantallas conectadas a Internet que responderán a la voz del usuario. En ellas podremos consultar recetas y hacer nuestras compras accediendo directamente al supermercado.

[nota manuscrita: Positiva pero no es necesario]

➢ Las caídas y los accidentes provocados por la oscuridad serán cuestión del pasado. En las casas del futuro los suelos se iluminarán ligeramente cuando una persona camine sobre ellos, lo que le permitirá ir a la cocina, al baño o responder al llanto de un bebé sin temor de tropezar.

[nota manuscrita: Negativa]

➢ La almohadas servirán de despertador. Tendrán unos pequeños reflectores luminosos que podrán ser programados para que se enciendan a una hora determinada o, incluso, cuando se reciba una llamada telefónica.

[nota manuscrita: Positiva]

➢ Las cortinas de baño serán musicales. Con el dedo, el usuario podrá seleccionar canciones MP3 o conectar con la radio. El sonido surgirá de unos altavoces planos integrados en las cortinas.

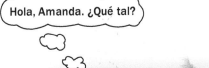

Hola, Amanda. ¿Qué tal?

Carlos, ¡qué bueno hablar contigo! ¿Dónde estás?

➢ En el futuro no necesitaremos aparatos electrónicos para comunicarnos con otras personas. Todos tendremos un chip biotecnológico implantado en la piel del brazo que nos permitirá comunicarnos directamente sin usar email ni mensajes de texto.

[nota manuscrita: Negativa]

¿Qué medio de comunicación usa Pedro para hablar con Juan al comienzo de la conversación?

Verifique la comprensión. ¿Qué significa *¡Juaaaan!* al final de esta parte de la conversación?

LENGUA

Text messages users in Spanish-speaking countries have developed many abbreviations for common words and expressions.

100pre	siempre
a2	adiós
asdc	al salir de clase
dnd	dónde
fsta	fiesta
grrr	enfadado/a
hl	hasta luego
k (q)	qué, que
mxo	mucho
q qrs?	¿Qué quieres?
tas OK?	¿Estás bien?
tki	Tengo que irme.

Comunicación sin fronteras

PEDRO:

(*Chat de Facebook*) Hola Juan, qué bien que estás en Facebook. Lo pasé genial en la fiesta y... ¿Juan?, ¿Juan?

(*Chat de Hotmail*) Ah, estás aquí, pues si entraras en Facebook verías que ahora mismo he empezado a contarte que lo pasé muy bien en la fiesta y... ¡Juaaaan!   5

(*Twitter*) Juan, échale un vistazo a tu email, que quiero contarte algo.

(*Email*) Ya que no te veo en Facebook, estaría bien que quedáramos a las 20.30 en el Messenger para chatear.

(*Skype*) ¡Ah, te pillé! Te acabo de enviar un email para proponerte que hablemos a las ocho y media por el Messenger, pero ya que te veo en pantalla, aprovecho 10 para contarte lo de la fiesta del otro día... ¿Juan? ¡Vaya, se ha desconectado!

(*Chat de Yahoo*) ¿Juan? Si estuvieras por aquí te preguntaría qué está ocurriendo con tu Skype; parece que se desconecta.

(*Mensaje de texto*) Ve a Fcbk q tng q cntarte alg!

(*Twitter*) En unos segundos vuelvo a Facebook. Pásate por allí, Juan.   15

(*Chat de Facebook*) Juan, si conectaras el Skype o el Facebook...

(*Skype*) Juan, ¿me ves? ¿Puedes oírme? ¿Me ves en tu pantalla?

(*Chat de Google*) Juan, ¿estás aquí ahora? ¡Juan! No puedo localizarte. Si te llamara por teléfono, quizá... Voy a intentarlo.

JUAN: 20

(*Teléfono*) ¿Diga?

PEDRO:

(*Teléfono*) ¡Hola, Juan! Soy Pedro.

JUAN:

(*Teléfono*) ¡Hola, Pedro!   25

PEDRO:

(*Teléfono*) ¿Has visto mi mensaje?

JUAN:

(*Teléfono*) ¿Cuál de ellos?

PEDRO: 30

(*Teléfono*) Pues el de... ¿Juan? ¿Me oyes?

JUAN:

(*Teléfono*) Te recibo bien, Pedro. Sobre todo, ¡te recibo mucho!

Comprensión y ampliación

10-17 Comprensión. Discutan las siguientes ideas relacionándolas con los textos anteriores y con el impacto de la tecnología en su vida.

1. En el futuro, los electrodomésticos serán tan sofisticados e imprescindibles en nuestras vidas que dependeremos de ellos emocionalmente.
2. Los avances tecnológicos facilitan nuestro trabajo, pero al mismo tiempo ocupan gran parte de nuestro tiempo libre.
3. La gente se siente acelerada y frustrada por el ritmo de vida que les impone la tecnología.
4. Los usuarios de hoy piensan que antes los electrodomésticos se estropeaban (*broke down*) menos.
5. Hoy en día ya no hay privacidad. Todo el mundo sabe dónde estamos y lo que hacemos en cada momento.

10-18 Ampliación. Primera fase. En grupos, elaboren preguntas para entrevistar a los estudiantes de otros grupos. Utilicen las siguientes ideas como guía:

1. Medio de transporte que utiliza regularmente
2. Los aparatos eléctricos o electrónicos que tiene en su habitación
3. Los electrodomésticos que usa con más frecuencia
4. La tecnología que utiliza para socializar
5. El tiempo que pasa utilizando Facebook, Twitter, Skype o videojuegos
6. El uso de la tecnología en sus clases

Segunda fase. Ahora preparen un informe para la clase sobre la influencia de la tecnología en la vida de los estudiantes. Luego, escriban un artículo en español para el periódico de su universidad. Usen la información de su informe y la de los informes de otros compañeros.

10-19 Conexiones. Indiquen (✓) si están de acuerdo con las siguientes predicciones. Luego, escriban una ventaja y una desventaja para cada afirmación y compártanlas con el resto de la clase.

1. __✓__ La tecnología se aplicará a la agricultura para ayudar a resolver los problemas de hambre en el mundo.
2. __✓__ El transporte dependerá cada vez más de la eficacia y funcionalidad de la tecnología.
3. _____ Nadie necesitará estudiar matemáticas porque las computadoras harán todas las operaciones aritméticas.
4. _____ La música será generada digitalmente y ya no será necesario tocar bien un instrumento o tener una voz excepcional.
5. _____ Todas las operaciones quirúrgicas (*surgical*) se harán con rayos láser.
6. __✓__ La educación será principalmente en línea, a través de computadoras y pantallas.

🔊 A escuchar

10-20 El futuro de la lectura en papel. El profesor de sociología habla de cómo leeremos en el futuro, en papel o en Internet. Marque (✓) las opiniones de los estudiantes.

1. _____ Los libros en papel dejarán de existir en cuanto haya pocos árboles.
2. _____ Prevalecerá el formato electrónico del libro gracias a los adelantos tecnológicos que se harán con las computadoras y los lectores electrónicos.
3. _____ Es más interesante leer un libro electrónico porque se puede acceder a sitios cibernéticos con imágenes y sonidos.
4. _____ Habrá libros con tal que haya gente a quien le guste tener un contacto físico con la página escrita.

 # Aclaración y expansión

10-33 to 10-41 ## Hypothetical conditions using imperfect subjunctive and conditional

Oye, Martina, ¿qué **harías** si **tuvieras** un bebé como este, que **supiera** más que tú?

Si mi bebé **fuera** un genio como Einstein, creo que **tendría** miedo de él.

- To express that something will not happen or is unlikely to happen under a certain condition, use the imperfect subjunctive in the *if* clause and the conditional in the main clause.

Si yo **fuera** inventor, **inventaría** robots para hacer todo el trabajo doméstico.

If I were an inventor, I would invent robots to do all of the household work.

Los robots **harían** todo el trabajo doméstico si **estuvieran** programados para hacerlo.

Robots would do all of the house chores if they were programmed to do so.

10-21 Práctica. Lea las siguientes afirmaciones relacionadas con la tecnología y, luego, complételas con la forma apropiada del condicional o el imperfecto del subjuntivo.

1. Si en una tienda yo _viera_ (ver) un robot que hiciera el trabajo doméstico, yo lo _compraría_ (comprar) inmediatamente.
2. Si el robot _cocinara_ (cocinar) bien, yo _pagaría_ (pagar) mucho dinero por él.
3. Nosotros _estaríamos_ (estar) muy estresados si un día todos los electrodomésticos de la casa _se estropearan_ (estropearse).
4. Si en el futuro la comunicación entre la gente sólo se _pudiera_ (poder) hacer a través de la tecnología, los humanos _se convertirían_ (convertirse) en autómatas.
5. Si las casas _fueran_ (ser) totalmente computarizadas, las computadoras nos _dominarían_ (dominar).
6. Algunos padres _permitirían_ (permitir) que las máquinas criaran a sus hijos si ellos _tuvieran_ (tener) el dinero para comprarlas.

10-22 ¿Qué ocurriría? Asocie las afirmaciones incompletas con una terminación lógica.

1. _e_ Si el petróleo se agotara…
2. _a_ Los seres humanos no podrían comunicarse si…
3. _f_ El medioambiente se destruiría completamente si…
4. _g_ Si no hubiera videojuegos…
5. _c_ Si los países se unieran para enfrentar las crisis económicas…
6. _b_ Todos podríamos tener una educación si…

a. hubiera un ataque cibernético que destruyera Internet.
b. los cursos en línea fueran gratis.
c. todos nos beneficiaríamos.
d. fuéramos felices.
e. tendríamos que encontrar fuentes de energía alternativas.
f. nadie se comprometiera a protegerlo.
g. inventaríamos otras formas de diversión.
h. usarían energía atómica.

10-23 ¡Qué dilema! Use su imaginación para completar las siguientes ideas relacionadas con su vida; después compártalas con su compañero/a. Él/Ella le hará preguntas para obtener más detalles.

1. Si tuviera el dinero para comprar un aparato tecnológicamente avanzado… _compraría un coche electronico_
2. Iría a vivir a otro país si… _encontrara un trabajo_
3. Si viviera cien años más… _sería una persona muy famosa_
4. Ayudaría más a las personas necesitadas si… _tuviera el tiempo y dinero_
5. Si pudiera cambiar algo en mi vida… _mejoraría mi salud_
6. Si tuviera que elegir entre tener una vida sencilla y feliz o ser una persona muy importante pero con pocos amigos… _elegiría ser sencilla y feliz porque no me importante ser "importante"_

10-24 Hipótesis futuristas. Primera fase. Observen las siguientes imágenes del futuro y hagan lo que se indica a continuación.

1. Describan cada imagen.
2. Indiquen uno o dos cambios significativos que sufriría la vida del ser humano actual y/o la comunidad si ocurriera lo que muestra la imagen.
3. Expliquen cómo cambiaría la vida de los actuales seres humanos. Den ejemplos.

⌃ Las viviendas

⌃ La energía

⌃ El transporte

⌃ La comunicación

 Segunda fase. Compartan sus respuestas a los puntos 2 y 3 de la *Primera fase.* Luego, respondan a las siguientes preguntas.

1. ¿Qué cambio les gustaría que ocurriera? ¿Por qué?
2. ¿Qué cambio preferirían que no ocurriera? ¿Por qué?

ALGO MÁS

Summary of uses of *se*

- You have learned that the pronoun **se** has several uses in Spanish. **Se** serves as the third person reflexive pronoun with reflexive verbs and as the third person reciprocal pronoun with reciprocal verbs (Capítulo 7).

A Vanesa le preocupa el futuro de nuestro planeta. Para ahorrar energía en casa, **se ducha** con agua fría.	*Vanesa is concerned about the future of our planet. To save energy at home, she **takes showers** with cold water.* (reflexive)
Mis amigos Lidia y Mateo están muy enamorados. Ellos **se escriben** mensajes de texto constantemente cuando están separados.	*My friends Lidia and Mateo are very much in love. They **text each other** constantly when they are apart.* (reciprocal)

- You have seen **se** used to mean *one* or *people* in impersonal expressions. It is also used in passive statements that emphasize the occurrence of an action rather than who is responsible for that action (Capítulo 4).

  Se dice que, gracias a Internet, **se lee** mucho más que antes.

  They say *that, thanks to the Internet,* ***people read*** *much more than before.* (impersonal)

  En esta universidad **se estudian** las nuevas tecnologías cibernéticas.

  The newest Internet technologies ***are studied*** *at this university.* (passive)

- You have also learned that in sentences with two object pronouns that start with **l-** (**le, les, lo, la, los, las**), the indirect object pronoun changes from **le/les** to **se** (Capítulo 6).

  Me encantan los mensajes de texto. **Se los escribo** a mis amigos varias veces al día.

  *I love text messages. **I send them to my friends** several times a day.* (indirect object pronoun)

10-25 Las reacciones y costumbres. Indique (✓) la función de **se** en cada oración. Luego, compare sus respuestas con las de su compañero/a. Si no están de acuerdo, justifiquen su selección.

	Reflexivo	Recíproco	Impersonal	Objeto indirecto
1. Todas las personas se ponen nerviosas cuando deben usar aparatos electrónicos sofisticados.				
2. Los buenos amigos se envían regalos para ocasiones especiales como los cumpleaños, las graduaciones y las bodas.				
3. No se puede mantener una relación íntima y duradera (*long-lasting*) por Internet.				
4. Los buenos amigos siempre se ofrecen a escuchar los problemas de sus amigos.				
5. Cuando los hijos necesitan ayuda, la familia siempre se la da.				
6. Los amigos íntimos se llaman a todas horas para contarse los detalles de su vida.				
7. Si a mi amigo le gusta una canción puedo bajársela de Internet.				
8. La tecnología se usa más en las universidades que en las escuelas primarias.				

10-26 Facebook en el año 2050. Complete el siguiente relato con la forma apropiada de **se** + el verbo entre paréntesis.

Es el 1 de enero del año 2050. En los congestionados muros de Facebook vemos que muchas personas (1) _____ (saludar) cariñosamente y (2) _____ (desear) un año de mucha suerte. Los jóvenes (3) _____ (gritar) virtualmente al escuchar una canción que su grupo favorito canta en YouTube. (4) _____ (calcular) que hay más de mil millones de usuarios de Facebook, quienes, casi hipnotizados por la sensación de tener millones de amigos, (5) _____ (escribir) mensajes a cada instante y comparten historias íntimas. Por el contrario, tú te sientes solitario; rehúsas ser un número más en Facebook. Piensas que la esencia humana (6) _____ (perder) en Facebook. No quieres que Facebook sea tu único medio de comunicación, en el que el contacto directo (7) _____ (perder) y (8) _____ (favorecer) el contacto virtual en vez del contacto humano.

10-27 ¿Cómo se vivirá? Discutan el papel de la tecnología en el futuro. Digan qué cambios tecnológicos se producirán y cómo se sentirá la gente respecto a ellos. Hablen de los temas siguientes o inventen otros y prepárense para compartir sus ideas con el resto de la clase.

MODELO: *En diez años, Google dejará de existir. Se inventará otro programa mejor en el que será posible transportarse virtualmente de un lugar a otro y así los amigos se comunicarán más fácilmente.*

1. Facebook
2. Los teléfonos móviles
3. La biblioteca universitaria
4. Los deportes

A escribir

10-42

Estrategias de redacción: el ensayo argumentativo

En este capítulo usted practicará una vez más la argumentación. Recuerde lo siguiente:

- Piense en su público lector y en estrategias para captar su atención.

- Infórmese detalladamente sobre el tema, consultando una variedad de fuentes.

- Distinga los hechos de las opiniones y sepárelos adecuadamente.

- Presente clara y coherentemente los argumentos contrarios de quienes opinan sobre el tema; incorpore también sus propios argumentos.

- Trate de convencer al lector de la superioridad de los argumentos de uno de los dos lados.

- Al final de su ensayo, resúmalo, manteniendo en mente la tesis defendida a lo largo del texto.

10-28 Análisis. El autor del siguiente artículo discute los efectos de la tecnología en la vida contemporánea. Léalo y luego, marque (✓) la alternativa adecuada.

1. Este es un ensayo
   ____ expositivo.
   ____ argumentativo.

2. El lector potencial de este ensayo es…
   ____ un lector especializado en asuntos del futuro.
   ____ un público general.

3. Este ensayo se escribió para…
   ____ hacer que el público reflexione sobre el trágico futuro del planeta.
   ____ convencer al público de que las predicciones sobre el futuro del planeta son especulativas y representan intereses económicos de quienes las hacen.
   ____ convencer al público de que todas las predicciones del futuro son ciertas y comprobables.

4. Con respecto a su estructura, este ensayo…
   ____ tiene una introducción.
   ____ presenta una tesis defendida por el autor a lo largo del texto.
   ____ tiene una conclusión clara.
   ____ le plantea una pregunta al lector para que piense y la resuelva.

5. El autor del ensayo utiliza las siguientes estrategias discursivas a través del ensayo:
   ____ el análisis
   ____ la comparación
   ____ el contraste
   ____ la ejemplificación
   ____ la presentación de datos que sustentan su tesis
   ____ la explicación

Predicciones del futuro del planeta

A pesar de los rigurosos estudios científicos que se han realizado en las más prestigiosas instituciones que se dedican al estudio del futuro de nuestro planeta y de la humanidad, la polémica sobre el tema continúa. Utilizando los métodos de análisis más sofisticados, estos centros de estudio e investigación predicen los riesgos del futuro a través de escenarios basados en las ciencias naturales, las matemáticas, la economía, la sociología y la psicología. Sin embargo, hay muchos optimistas que se niegan a aceptar las predicciones apocalípticas e insisten en que no hay que alterar nuestro estilo de vida ni la manera en que aprovechamos los finitos recursos naturales de la Tierra.

Los expertos han comprobado sin lugar a dudas que, si no se implementan cambios drásticos en nuestra forma de vida, el futuro de la humanidad será terrible. Las predicciones y especulaciones sobre el planeta indican un futuro en el que las repercusiones debidas al calentamiento global y a otras catástrofes naturales, al colapso económico mundial y a los conflictos humanos serán muy graves. Las previsiones a continuación representan el trabajo de algunos de los más importantes centros mundiales sobre el tema. Los datos y conclusiones a las que se han llegado describen un futuro devastador.

Según algunos estudios, para 2020, los esfuerzos de los países ricos por asegurarse un bienestar económico provocarán guerras y consecuentemente grandes migraciones. Esta teoría está reforzada por el informe *Mapping the Global Future* del Gobierno de Estados Unidos, en el cual se asegura que el aumento del consumo en Occidente tendrá como consecuencia un incremento de la pobreza en el resto del mundo. Aunque el Banco Mundial sostiene que con la participación y colaboración de todas las naciones del mundo el desarrollo del planeta podría ser sostenible, sería muy difícil coordinar un proyecto de esta magnitud. Esta colaboración mundial debería guiarse por reglas muy claras que modificarán la trayectoria que se ha seguido durante los últimos dos siglos, pero los expertos aseguran que un alto porcentaje de países no están dispuestos a cumplir esas reglas.

Por otro lado, los expertos afirman que para 2030 la situación del petróleo estará en plena crisis. La producción bajará a un tercio y el precio del crudo se elevará por encima de los 500 dólares por barril. Aunque los expertos de la Agencia Internacional de la Energía predicen que el aumento de las fuentes alternativas de energía ayudará a aliviar el agotamiento del petróleo, será difícil y costoso satisfacer las demandas energéticas de un número cada vez mayor de habitantes en el planeta.

Con respecto al clima, algunos científicos predicen cambios drásticos para el 2050: grandes porciones de la Tierra estarán sumergidas bajo el agua, habrá más huracanes y sequías, todos ellos consecuencias del efecto invernadero y del calentamiento global. Los optimistas opinan que los científicos no saben lo suficiente para predecir el clima a largo plazo. Sin embargo, las estadísticas muestran claramente que las predicciones más terribles se van a cumplir a no ser que se tomen medidas urgentes.

En 2080, el crecimiento económico de las grandes potencias, como Estados Unidos y la Unión Europea, y de los países en vías de desarrollo, tales como India y China, acabarán con los existentes recursos energéticos. Los optimistas refutan estas predicciones, arguyendo que las nuevas tecnologías permitirán un crecimiento sin límite. Sin embargo, un análisis del crecimiento económico combinado de China e India nos lleva a la conclusión de que estos dos países tendrán un impacto significativo en el consumo energético regional y mundial, el cual crecerá un 50% en los próximos veinte años. Este aumento del consumo no podrá ser satisfecho por la oferta global de energía (incluida la energía alternativa), y esto tendrá consecuencias muy negativas para la humanidad.

En cuanto al papel de la tecnología para solucionar los problemas inminentes, los científicos están divididos. Algunos ven el futuro de la tecnología y sus usos con pesimismo y otros, con más optimismo. Estos últimos proponen el uso de la nanotecnología como la salvación de la humanidad, pero los primeros la responsabilizan de su desaparición.

Sea cual sea la predicción de los expertos, es indudable que muchas de estas predicciones ya son una realidad. Existen el calentamiento global, los conflictos, los desastres naturales y la crisis económica en todo el planeta. Está claro que si no hacemos caso de las recomendaciones de los científicos, el futuro del planeta está en peligro y hay que preguntarse si el empuje y la inteligencia del ser humano serán suficientes para garantizar su supervivencia.

 10-29 Preparación. Primera fase. Seleccione un tema de esta lista o proponga otro relacionado con la ciencia o la tecnología. Luego, busque en Internet uno o dos artículos relacionados con el tema que seleccionó, léalos y tome apuntes.

1. El futuro de la biosfera
2. La globalización y el futuro de la educación
3. El futuro de las lenguas extranjeras en un mundo globalizado
4. La clonación

Segunda fase. Ahora haga lo siguiente:

- Enfoque y delimite (*define*) el tema sobre el cual usted escribirá su ensayo, haciendo preguntas específicas tales como quién, qué, dónde, cuándo, por qué y cómo.
- Escriba una tesis.
- Haga una lista de los argumentos que presentará y la fundamentación de cada uno de ellos. Recuerde que los argumentos deben reflejar las diferentes perspectivas que existan sobre el tema.
- Escriba las fuentes que usará en su ensayo.

10-30 Planificación. Prepárese holísticamente para escribir su ensayo.

1. Haga un bosquejo.

   - Determine y conozca a su lector. Provea a su lector de una cantidad y el tipo de información apropiados para que comprenda su mensaje.
   - Establezca su propósito al escribir este ensayo.
   - Verifique que su tesis está reflejada en el título de su ensayo.
   - Mantenga un registro de sus fuentes para citarlas, siguiendo las convenciones de la investigación.
   - Organice la información que recogió (*gathered*) para lograr su propósito.

2. Prepare el vocabulario. Haga una lista de palabras clave sobre su tema, de sinónimos o antónimos, de expresiones de transición.
3. Planifique las estructuras gramaticales que necesitará. Seleccione los modos y tiempos que usará para argumentar, presentar datos o información factual, especular, convencer a alguien, etc.
4. Revise su bosquejo. Verifique la cantidad, calidad y organización de la información o datos que presentará.

LENGUA

Las siguientes expresiones lo/la ayudarán a hacer transiciones lógicas dentro y entre los párrafos de su ensayo para indicar lo siguiente:

causa: **ya que..., puesto que..., dado que..., debido a..., a causa de...**

contradicción **al contrario, sino, sino que, sin embargo, no obstante, pero**

efecto: **como consecuencia (de)..., entonces, por eso, como resultado (de)..., por tal razón, por lo tanto..., etc.**

condición: **en caso (de) que..., con tal (de) que..., a menos que..., a condición (de) que...**

certeza: **por supuesto, sin duda, indudablemente, obviamente, claro que, evidentemente**

introducción de un tema o una idea: **con respecto a..., con motivo de..., en lo tocante a ...**

incertidumbre: **a lo mejor, quizá(s), al parecer, pareciera que ...**

10-31 ¡A escribir! Escriba un ensayo argumentativo sobre el tema que escogió y delimitó en la actividad **10-30**, siguiendo la planificación que acaba de hacer. Use los datos o la información recolectados.

10-32 ¡A editar! Lea su ensayo críticamente tantas veces como sea necesario. Examine mínimamente lo siguiente:

- El contenido: la cantidad y la claridad de la información para su público lector
- La forma: la cohesión y coherencia de las ideas, la división de los párrafos, las transiciones lógicas dentro y entre los párrafos, etc.
- La mecánica: la puntuación, acentuación, ortografía, mayúsculas, minúsculas, uso de la diéresis, etc.

Finalmente, haga los cambios necesarios que lo/la ayuden a lograr su propósito.

A explorar

10-43

10-33 Las incertidumbres del futuro. Primera fase: Investigación.
Seleccionen uno de los siguientes temas y lean un artículo de periódico o de revista relacionado con el tema: el medioambiente, el uso de la tecnología, las aplicaciones de la ciencia, el estilo de vida humana, la salud, la alimentación o el transporte.

Segunda fase: Preparación. Preparen un informe sobre el tema cubriendo lo siguiente:

1. Indiquen el título del artículo y su relación con el tema elegido.
2. Resuman el contenido del artículo y justifiquen la importancia (seriedad, gravedad) del tema para la vida humana en el futuro.
3. Finalmente indiquen qué se debe hacer para enfrentar el problema o situación que se plantea en el artículo. ¿Qué medidas se deben tomar? ¿Cuándo se deben implementar estas medidas? ¿Qué ocurriría si no se hiciera nada?

Tercera fase: Presentación. Presenten su informe a la clase utilizando el apoyo visual necesario para captar el interés de sus compañeros/as.

10-34 La tecnología aplicada. Primera fase: Investigación.
Lean y discutan los siguientes párrafos sobre diversos aspectos del futuro, y asócienlos con una o más de las siguientes categorías. Elijan uno de estos temas para investigar.

educación	genética	nutrición	botánica	electrónica	tecnología

1. La nanotecnología es una ciencia del futuro que se propone construir máquinas minúsculas de precisión atómica que puedan intervenir en procesos que mejoren la calidad de vida. Estas máquinas casi invisibles podrán construir edificios, erradicar enfermedades, producir alimentos, etc. _____
2. El diagnóstico por medio de marcadores genéticos permitirá detectar las enfermedades antes de que los pacientes de riesgo las contraigan. Conocida como medicina predictiva, esta ciencia tiene indudable valor terapéutico ya que todos aquellos que vivan con la angustia de sufrir una determinada enfermedad podrán obtener esta información y prevenir o tratar los síntomas. _____
3. En un futuro no muy lejano es posible que podamos hablar de universidades sin aulas. Cada vez se desarrollan más los cursos a través de Internet, las teleconferencias, la educación a distancia y otros medios de aprendizaje individual. Ya no es necesario estar en el mismo espacio físico para compartir un mismo aprendizaje. Las charlas y discusiones en Internet, además de intercambiar ideas, hacen suponer un futuro diferente para la educación. _____

Segunda fase: Preparación. Preparen un póster o una presentación para la clase que incluya los siguientes puntos:

1. Identificación y descripción del tema elegido
2. Argumentos a favor y en contra, si los hay
3. Una opinión personal o grupal sobre el tema descrito o presentado
4. Datos (estadísticas), fotos o cualquier otro apoyo visual para apoyar el punto de vista o la opinión

Tercera fase: Presentación. Presenten el tema a la clase usando apoyo visual.

🔊 Vocabulario del capítulo

La tecnología

el aparato	*apparatus; appliance*
el aparato de DVD	*DVD player*
el aprendizaje	*learning*
la banca	*banking sector*
la batidora	*blender*
la cámara digital	*digital camera*
la computadora portátil	*laptop*
la consola	*game console*
la eficacia	*efficiency, effectiveness*
el horno microondas	*microwave oven*
la máquina	*machine*
la pantalla	*screen*
la red	*network; Web (usually cap.)*
el teclado inalámbrico	*wireless keyboard*

Los negocios

las acciones	*shares*
el aumento	*increase*
el beneficio	*benefit*
los bienes	*goods*
los bienes de consumo	*consumer goods*
la bolsa	*stock exchange*
en desarrollo	*developing*
el desempleado/ la desempleada	*unemployed person*
el empleo	*job, employment*
la empresa	*company, corporation*
la exportación	*export; exportation*
la globalización	*globalization*
la hipoteca	*mortgage*
la importación	*importation*
los impuestos	*taxes*
la inversión	*investment*
el libre comercio	*free trade*
el mercado de valores	*stock market*
la mercancía	*merchandise*
la prosperidad	*prosperity*
el salario	*salary, wage*
el trabajo infantil	*child labor*
el tratado	*treaty*

Características

extranjero/a	*foreign*
financiero/a	*financial*
rentable	*cost-effective*
último/a	*last*

Verbos

aprovechar	*to take advantage*
aumentar	*to increase*
beneficiar	*to benefit*
crecer (zc)	*to grow*
echar un vistazo	*have a look at*
elegir (i, i, j)	*to choose; to select*
fabricar (q)	*to make; to produce*
facilitar	*to make easier; to facilitate*
localizar (c)	*to locate; to get hold of*
pasarlo genial	*to have a great time*
pasar por	*to go through/via*
perjudicar	*to damage*
pillar	*to catch, find*
predecir (i, g)	*to predict*
provocar (q)	*to cause; to bring about*
revisar	*to check; to review*
seguir (i, i)	*to follow; to continue*
valorar	*to assess; to attach a value to*

Palabras y expresiones útiles

a largo plazo	*long-term*
la crisis	*crisis*
en contra de	*against*
el defensor	*defender*
el estrés	*stress*
el impulso	*boost*
la incertidumbre	*uncertainty*
el inconveniente	*disadvantage, drawback*
mismo/a	*same*
no obstante	*nevertheless*
el papel	*role*
la desaparición	*disappearance*
la manera	*way, manner*
por lo menos	*at least*

Notas: For abbreviations used in text messages, see page 280. For words and expressions that may be used as connectors, see page 290.

Guía gramatical

Descriptive adjectives

1. In Spanish, descriptive adjectives agree in gender and number with the noun they modify. Normally the adjective follows the noun. Most Spanish adjectives end in **-o** in the masculine singular and **-a** in the feminine singular. They form the plural by adding **-s**.

el/un teatro roman**o**	los/unos teatros roman**os**
la/una ciudad grieg**a**	las/unas ciudades grieg**as**

2. The following adjectives have the same form for both masculine and feminine. They add **-s** to form the plural.

- Adjectives ending in **-e**

el/un caso interesant**e**	los/unos casos interesant**es**
la/una ciudad interesant**e**	las/unas ciudades interesant**es**

- Adjectives ending in **-ista**

el/un gobierno social**ista**	los/unos gobiernos social**istas**
la/una clase social**ista**	las/unas clases social**istas**

- Adjectives of nationality ending in **-a**

el/un científico israelit**a**	los/unos científicos israelit**as**
la/una ciudad may**a**	las/unas ciudades may**as**

3. Adjectives of nationality ending in a consonant in the masculine singular add **-a** to form the feminine. To form the plural, they add **-es** and **-s**, respectively.

el ciudadano español	los ciudadanos español**es**
una ciudad español**a**	unas ciudades español**as**

4. Other adjectives ending in a consonant have the same form for both masculine and feminine, except those ending in **-dor**. To form the plural, they add **-es** and **-s**, respectively.

el grupo liberal	los grupos liberal**es**
una persona liberal	unas personas liberal**es**
un señor trabaja**dor**	unos señores trabaja**dores**
una señora trabaja**dora**	unas señoras trabaja**doras**

5. If an adjective modifies two or more nouns, and one of them is masculine, the masculine plural form is used. From a stylistic point of view, it is best to make the masculine noun the last one.

Hay murallas y templos **romanos**.

Adjectives that change meaning depending on their position

1. The following adjectives have different meanings when placed before or after a noun.

Adjectives	Before the noun	After the noun
antiguo	*former*	*ancient*
cierto	*certain, some*	*certain, sure*
mismo	*same*	*the person or thing itself*
nuevo	*another, different*	*brand new*
pobre	*pitiful*	*destitute*
viejo	*former, long standing*	*old, aged*

Ayer vi a mi **antiguo** jefe en una exposición de pinturas **antiguas**.

*Yesterday I saw my **former** boss at an exhibit of **old** paintings.*

Adjectives that have a shortened form

1. The adjectives **bueno** and **malo** drop the final **-o** before all masculine singular nouns.

el hombre bueno/el **buen** hombre   un momento malo/un **mal** momento

2. Grande shortens to **gran** when it precedes any singular noun. Note the change in meaning.

Es una casa **grande**.   *It's a **big** house.*
Es una **gran** casa.   *It's a **great** house.*

Demonstrative adjectives

Demonstrative adjectives agree in gender and number with the noun they modify. English has two sets of demonstrative adjectives (*this, these* and *that, those*), but Spanish has three sets.

this	**este** escritorio	*these*	**estos** escritorios
	esta mesa		**estas** mesas
that	**ese** diccionario	*those*	**esos** diccionarios
	esa señora		**esas** señoras
that (over there)	**aquel** edificio	*those* (over there)	**aquellos** edificios
	aquella casa		**aquellas** casas

1. Use **este, esta, estos,** and **estas** when referring to people or things that are close to you in space or time.

Este auto es nuevo. Lo compré **esta** semana.

***This** car is new. I bought it **this** week.*

2. Use **ese, esa, esos,** and **esas** when referring to people or things that are not relatively close to you. Sometimes they are close to the person you are addressing.

Esa silla es muy cómoda.   ***That** chair is very comfortable.*

3. Use **aquel, aquella, aquellos,** and **aquellas** when referring to people or things that are far away from the speaker and the person addressed.

Aquellos niños deben estar aquí.   ***Those** children (over there) should be here.*

Demonstrative pronouns

1. Demonstratives can be used as pronouns. A written accent may be placed on the stressed vowel to distinguish demonstrative pronouns from demonstrative adjectives. The use of the written accent is no longer required.

> Voy a comprar esta blusa y **ésa**. *I'm going to buy this blouse and **that one**.*

2. To refer to a general idea or concept, or to ask for the identification of an object, use **esto, eso,** or **aquello**.

> Estudian mucho y **esto** es muy bueno. *They study a lot and **this** is very good.*
> ¿Qué es **eso**? *What's **that**?*
> Es un regalo para Alicia. *It's a present for Alicia.*

Possessive adjectives

Unstressed possessive adjectives

mi(s)	*my*
tu(s)	*your (familiar)*
su(s)	*your (formal), his, her, its, their*
nuestro(s), nuestra(s)	*our*
vuestro(s), vuestra(s)	*your (familiar plural)*

1. Unstressed possessive adjectives precede the noun they modify. They change number to agree with the object or objects possessed, not the possessor. **Nuestro(s), nuestra(s), vuestro(s),** and **vuestra(s)** are the only forms that change gender to agree with what is possessed.

> **mi** hermano **mi** hermana **mis** hermanos **mis** hermanas
> **nuestro** hermano **nuestra** hermana **nuestros** hermanos **nuestras** hermanas

2. **Su** and **sus** have multiple meanings. To ensure clarity, you may use **de** + name of the possessor or the appropriate pronoun.

> su familia = la familia
> **de él** (la familia de Pablo)
> **de ella** (la familia de Silvia)
> **de usted**
> **de ustedes**
> **de ellos** (la familia de Pablo y Berta)
> **de ellas** (la familia de Berta y Olga)

Stressed possessive adjectives

SINGULAR		PLURAL		
masculine	feminine	masculine	feminine	
mío	mía	míos	mías	*my, (of) mine*
tuyo	tuya	tuyos	tuyas	*your, (familiar), (of) yours*
suyo	suya	suyos	suyas	*your (formal), his, her, its, their, (of) yours, his, hers, theirs*
nuestro	nuestra	nuestros	nuestras	*our, (of) ours*
vuestro	vuestra	vuestros	vuestras	*your (familiar), (of) yours*

1. Stressed possessive adjectives follow the noun they modify. These adjectives agree in gender and number with the object or objects possessed.

El **escritorio mío** es muy pequeño.　　*My desk is very small.*
Las **blusas tuyas** están allí.　　*Your blouses are there.*

2. Use the stressed possessives to emphasize the possessor rather than the thing possessed.

Prefiero ir en el **auto mío**.　　*I prefer to go in MY car.*
Los **amigos tuyos** no llegaron temprano.　　*YOUR friends did not arrive early.*

Possessive pronouns

SINGULAR				PLURAL		
masculine		feminine		masculine		feminine
mío		mía		míos		mías
tuyo		tuya		tuyos		tuyas
el	suyo	la	suya	los	suyos	las	suyas
nuestro		nuestra		nuestros		nuestras
vuestro		vuestra		vuestros		vuestras

1. Possessive pronouns have the same form as stressed possessive adjectives.

2. The definite article precedes the possessive pronoun, and they both agree in gender and number with the noun they refer to.

Tengo el libro **tuyo**. (possessive adjective)/Tengo **el tuyo**. (possessive pronoun) *I have your book. I have yours.*

3. Since **el/la suyo/a** and **los/las suyos/as** have multiple meanings, to be clearer and more specific you may us use **de** + name of the possessor or the appropriate pronoun.

	la de él	*his*
	la de ella	*hers*
la familia suya/la suya *or*	**la de usted**	*yours* (singular)
	la de ustedes	*yours* (plural)
	la de ellos	*theirs* (masculine, plural)
	la de ellas	*theirs* (feminine, plural)

Uses and omissions of subject pronouns

1. Because Spanish verb forms have different endings for each grammatical person (except in some tenses), the subject pronouns are generally omitted.

Converso con mis amigos en la cafetería.　　*I talk to my friends in the cafeteria.*
Nunca trabajamos los sábados.　　*We never work on Saturdays.*

2. Subject pronouns are used in the following cases:

- To avoid ambiguity when the verb endings are the same for the **yo, usted, él,** and **ella** verb forms (imperfect indicative, the conditional, and all subjunctive tenses).

Yo quería ir al cine hoy, pero **ella** no podía.	*I wanted to go to the movies today, but **she** couldn't.*
Espero que **él** pueda venir mañana.	*I hope that **he** can come tomorrow.*

- To emphasize or contrast the subject(s).

Yo he dicho eso muchas veces.	*I have said that many times.*
Usted se queda y **ellos** se van.	*You stay and **they** go.*

Present indicative

1. Spanish and English use the present tense:

- to express repeated or habitual actions.

Siempre **hablan** español con sus hijos.	*They always **speak** Spanish with their children.*

- to describe states or conditions that last for short or long periods of time.

La Mezquita de Córdoba **es** un ejemplo excelente de la arquitectura árabe en España.	*The Great Mosque of Cordoba **is** an excellent example of Muslim architecture in Spain.*

2. Spanish also uses the present tense:

- to express ongoing actions.

Marta **habla** con su amiga por teléfono.	*Marta **is talking** to her friend on the phone.*

- to express future action.

Marta y su amiga **salen** esta noche.	*Marta and her friend **are going out** tonight.*

More relative pronouns

el cual forms	
el cual	los cuales
la cual	las cuales

1. These relative pronouns are used in clauses set off by commas to identify precisely the person or thing referred to. They are preferred in both formal writing and speech.

Los productos que exportan esas compañías, **los cuales** son excelentes, han tenido mucho éxito en el extranjero.	*The products that those companies export, which are excellent, have been very successful abroad. (the products are excellent)*
Los productos que exportan esas compañías, **las cuales** son excelentes, han tenido mucho éxito en el extranjero.	*The products that those companies export, which are excellent, have been very successful abroad. (the companies are excellent)*

Passive voice

1. The passive voice in Spanish is formed with the verb **ser** + past participle. The preposition **por** indicates who or what performs the action.

El acueducto de Segovia **fue construido por** los romanos.	*The aqueduct in Segovia **was built by** the Romans.*

For the use of the present tense with **hace** + time expressions, see page 60.

2. The past participle functions as an adjective and therefore agrees in gender and number with the subject.

El templo **fue destruido** por el huracán.

*The temple **was destroyed** by the hurricane.*

Las casas **fueron destruidas** por el huracán.

*The houses **were destroyed** by the hurricane.*

3. The passive voice is most often found in written Spanish, especially in newspapers and formal writing. In conversation, Spanish speakers normally use a third person plural verb or a **se** + verb construction.

Construyeron un acueducto en Segovia.

***They built** an aqueduct in Segovia.*

Se construyó un acueducto en Segovia.

*An aqueduct **was built** in Segovia.*

Cardinal numbers

0	cero	40	cuarenta
1	uno	50	cincuenta
2	dos	60	sesenta
3	tres	70	setenta
4	cuatro	80	ochenta
5	cinco	90	noventa
6	seis	100	cien
7	siete	101	ciento uno…
8	ocho	400	cuatrocientos/as
9	nueve	500	quinientos/as
10	diez	600	seiscientos/as
11	once	700	setecientos/as
12	doce	800	ochocientos/as
13	trece	900	novecientos/as
14	catorce	1.000	mil
15	quince	1.001	mil uno…
16	dieciséis, diez y seis	2.000	dos mil
17	diecisiete, diez y siete	100.000	cien mil
18	dieciocho, diez y ocho	101.000	ciento un mil
19	diecinueve, diez y nueve	200.000	doscientos mi…
20	veinte	1.000.000	un millón (de)
21	veintiuno, veinte y uno. . .	2.000.000	dos millones (de)
30	treinta	1.000.000.000	un millardo, mil millones (de)
31	treinta y uno. . .		

1. Numbers from 16 to 19 and from 21 to 29 may be written as one word or three words.

2. Use **cien** for 100 used alone or followed by a noun, and **ciento** for numbers from 101 to 199.

100 anuncios **cien** anuncios   120 anuncios **ciento veinte** anuncios

3. In many Spanish-speaking countries, a period is used to separate thousands, and a comma to separate decimals ($1.000, $19,50), but some countries use the same system as in the United States.

4. Use **mil** for *one thousand*. **Un mil** is only used if it forms part of the previous number: 201.000 **(doscientos un mil)**.

5. If a noun follows **millón/millones,** use **de** before the noun: 1.000.000 **(un millón)**, 1.000.000 personas **(un millón de personas)**.

Ordinal numbers

1°	primero	6°	sexto
2°	segundo	7°	séptimo
3°	tercero	8°	octavo
4°	cuarto	9°	noveno
5°	quinto	10°	décimo

1. Ordinal numbers are adjectives and agree with the noun they modify.

el **cuarto** edificio   la **segunda** casa.

2. The ordinal numbers **primero** and **tercero** drop the final **o** before a masculine singular noun.

el **primer** edificio   el **tercer** piso

Syllable stress and the written accent in Spanish

In Spanish, normal word stress falls on the next-to-last syllable of words ending in a vowel, **-n,** or **-s,** and on the last syllable of words ending in other consonants.

a**mi**ga   **cla**se   **vi**no   **li**bros   e**xa**men
co**mer**   ver**dad**   espa**ñol**   come**dor**   liber**tad**

When a word does not follow this pattern, a written accent is used to signal the stressed syllable as shown below.

1. If the stress is on the next-to-last syllable of words ending in a consonant other than **-n** or **-s.**

árbol   **lá**piz   di**fí**cil   **mó**dem   a**zú**car

2. If the stress is on the last syllable of words ending in a vowel, **-n,** or **-s.**

ha**bló**   co**mí**   es**tán**   in**glés**   sal**dré**

3. If the stress is on the third-to-last syllable.

sábado   **fí**sica   sim**pá**tico   **tí**pico   **nú**mero

4. If the stress is on the fourth-to-last syllable. This only occurs when two object pronouns are attached to a present participle.

¿Está dándole el dinero? Sí, está **dán**doselo.

Diphthongs

A diphthong is the combination of an unstressed **i** or **u** with another vowel that forms a single syllable. When the diphthong is on the stressed syllable of a word and a written accent is required, it is written over the other vowel, not over the **i** or **u**.

Dios   a**diós**   bien   tam**bién**   seis   dieci**séis**

The combination of **i** and **u** also forms a diphthong. If the diphthong is on the stressed syllable and a written accent is required, it is written over the second vowel.

cuídate   lin**güís**tica

The combination of a stressed **i** or **u** with another vowel does not form a diphthong. The vowels form two separate syllables. A written accent is required over the **í** or **ú**.

pa**ís**   cafete**ría**   **mí**o   le**ís**te   conti**nú**a

Interrogative and exclamatory words

Interrogative and exclamatory words always require a written accent.

¿**Cómo** te llamas?   ¡**Qué** día!
¿**Dónde** vives?   ¡**Cuánto** trabajo!

Monosyllabic words

Words that have only one syllable do not carry an accent mark, except those that have to be distinguished from other words with the same spelling but a different meaning and grammatical function.

dé	*give* (formal command)	**de**	*of*
él	*he*	**el**	*the*
más	*more*	**mas**	*but*
mí	*me*	**mi**	*my*
sé	*I know, be* (informal command)	**se**	*him/herself, (to) him/her/them*
sí	*yes*	**si**	*if*
té	*tea*	**te**	*(to) you*
tú	*you*	**tu**	*your*

Punctuation

Spanish and English punctuation are similar, except in the following cases:

1. All questions start with an upside-down question mark.

¿Cuándo empieza la clase?

2. All exclamations begin with an upside-down exclamation point.

¡Cuánto siento que no puedas venir!

3. When quoting what a person has said or written, use a colon before the quotation and a period after the quotation. If the quotation is by itself, the period is placed before the final quotation mark.

José Martí dijo: "Yo abrazo a todos los que saben amar".
"Yo abrazo a todos los que saben amar." Estas palabras muestran los sentimientos de José Martí.

Peer-Editing or Self-Assessment Editorial Checklist*

The following Editorial Checklist is by no means exhaustive. It has been designed to guide students through the process of editing either their own text or that of a peer.

I. Intended Audience

_____ An expert on the subject
_____ A general audience
_____ A student
_____ A professor

II. Purpose of Text

Mark all that apply.

1. The writer's purpose or intent is

_____ to inform
_____ to convey an opinion
_____ to amuse, entertain
_____ to provoke discussion
_____ to convince readers
_____ to persuade readers to change their minds/behavior
_____ to persuade readers to take action
_____ to make readers feel . . .
_____ Other: _____

2. Achievement of paper's purpose

_____ The text (narrative, essay, etc.) fulfilled its purpose.
_____ The text partially fulfilled its purpose.
_____ The text failed to fulfill its purpose.

3. If it did not fulfill its purpose, why? How can the writer achieve the desired effect?

III. Organization

4. Is the text well organized?

_____ Yes   _____ No

Reasons: Mark all that apply.

_____ Text has an attractive title. It motivates the audience to read.

*Instructors may edit this document to tailor it to their students' needs.

_____ Author introduces the topic with an attention getter (a provoking idea, a question, a new idea, etc.).

_____ Introduction states purpose.

_____ Body of text is logically arranged.

_____ Text has good transitions. Ideas are connected smoothly between and within paragraphs.

_____ Text has an appropriate conclusion. All arguments are tied together, all questions are answered.

_____ There are too many questions or doubts unanswered.

_____ The end is too abrupt.

_____ Other _____

IV. Topic Handling[†]. Make a check mark next to the appropriate response.

5. Has the writer focused/narrowed down the topic?

_____ Yes   _____ No

Reasons:

_____ Subject is discussed from a very specific angle.

_____ All paragraphs center around the main topic/issue.

_____ Every paragraph contributes to support the main idea (thesis/hypothesis) of the whole text.

_____ Content can be covered well within the length of the text.

_____ Other _____

6. Has the topic been presented interestingly?

_____ Yes   _____ No

Reasons: Mark all that apply

_____ Idea (thesis/hypothesis/discussion, etc.) is original.

_____ Topic is discussed from a new perspective or angle.

_____ Author presents new information about topic (findings, data, polls, statistics, etc.).

_____ Author asks questions to arise interest.

_____ Author uses thought-provoking ideas/arguments.

_____ Author uses humor.

_____ Other: _____

7. What suggestion(s) can you make? _____

V. Development of Ideas

8. Does the author provide the audience with enough information about the topic?

_____ Yes   _____ No

Reasons:

_____ Author answers the vast majority of fundamental questions of potential audience.

_____ Some fundamental questions have not been addressed by author.

[†]Sections IV, V, and VI apply to essay writing.

_____ Author leaves reader with many doubts or unanswered questions.
_____ Other: _____

9. Is there one well-developed idea?

_____ Yes   _____ No

Reasons:

_____ After reading the text, the main idea may be easily stated in one sentence.
_____ The main idea was not sufficiently developed. It lacks details, examples.
_____ There is more than one main idea/thesis/hypothesis. Text is confusing, hard to follow.
_____ Other: _____

VI. Research/Analysis (where applicable)

Degree of completeness of research

10. Was the topic/subject/issue covered comprehensibly?

_____ Yes   _____ No

Reasons:

_____ Investigation covers all points/angles/positions, etc. necessary.
_____ Investigation is incomplete. Some relevant aspects/issues/arguments, etc. were disregarded.
_____ No evidence author did the research that was required.
_____ Other: _____

VII. Language

11. Did author accommodate the language to his/her intended audience?

_____ Yes   _____ No

Reasons: Mark all answers that apply.

_____ Language was clear and direct.
_____ Author used appropriate tone.[‡]
_____ Author used language that is too abstract.
_____ Author did not vary vocabulary words (did not use synonyms, antonyms, etc.).
_____ Author used too many empty words (things, stuff, etc.).
_____ Author used vivid words.
_____ Other: _____

VIII. Accuracy/Grammar

12. Is the text grammatically accurate?

_____ Yes   _____ No

[‡]Possible tones: _____ sarcastic _____ angry _____ serious _____ (un)friendly _____ formal _____ informal _____ Other?

13. Did errors interfere with comprehension of text?

_____ Yes   _____ No

Reasons:

There are problems with specific grammar features:

_____ agreement (gender, number, subject-verb, noun-adjective, etc.)
_____ wrong tense (present-past/future, preterit-imperfect, etc.)
_____ wrong mode (indicative-subjunctive)
_____ omission (missing parts of speech: articles, prepositions, conjunctions, etc.)
_____ misuse (inappropriate use of rules, parts of speech, lexicon, etc.)
_____ wrong word order
_____ wrong sentence structure
_____ other(s): _____

IX. Mechanics of Writing

14. In general, did the author adhere to the formalities of writing in Spanish?

_____ Yes   _____ No

Reasons:

_____ There are serious spelling problems that distract the reader's attention to content.
_____ Few or no spelling errors.
_____ Punctuation is flawless.
_____ Many punctuation problems (e.g. missing or inappropriately used commas, periods, etc.).
_____ Author did not quote sources correctly (did not use quotation marks appropriately).
_____ Author quoted and documented all sources consulted.
_____ Other: _____

Verb Charts

REGULAR VERBS: SIMPLE TENSES

Infinitive Present Participle Past Participle	INDICATIVE					SUBJUNCTIVE		IMPERATIVE
	Present	Imperfect	Preterit	Future	Conditional	Present	Imperfect	
hablar hablando hablado	hablo hablas habla hablamos habláis hablan	hablaba hablabas hablaba hablábamos hablabais hablaban	hablé hablaste habló hablamos hablasteis hablaron	hablaré hablarás hablará hablaremos hablaréis hablarán	hablaría hablarías hablaría hablaríamos hablaríais hablarían	hable hables hable hablemos habléis hablen	hablara hablaras hablara habláramos hablarais hablaran	habla tú, no hables hable usted hablemos hablen Uds.
comer comiendo comido	como comes come comemos coméis comen	comía comías comía comíamos comíais comían	comí comiste comió comimos comisteis comieron	comeré comerás comerá comeremos comeréis comerán	comería comerías comería comeríamos comeríais comerían	coma comas coma comamos comáis coman	comiera comieras comiera comiéramos comierais comieran	come tú, no comas coma usted comamos coman Uds.
vivir viviendo vivido	vivo vives vive vivimos vivís viven	vivía vivías vivía vivíamos vivíais vivían	viví viviste vivió vivimos vivisteis vivieron	viviré vivirás vivirá viviremos viviréis vivirán	viviría vivirías viviría viviríamos viviríais vivirían	viva vivas viva vivamos viváis vivan	viviera vivieras viviera viviéramos vivierais vivieran	vive tú, no vivas viva usted vivamos vivan Uds.

Vosotros Commands			
hablar	hablad, no habléis	comer	comed, no comáis	vivir	vivid, no viváis

REGULAR VERBS: PERFECT TENSES

INDICATIVE						SUBJUNCTIVE	
Present Perfect	Past Perfect	Preterit Perfect	Future Perfect	Conditional Perfect		Present Perfect	Past Perfect
he has ha hemos habéis han + hablado comido vivido	había habías había habíamos habíais habían + hablado comido vivido	hube hubiste hubo hubimos hubisteis hubieron + hablado comido vivido	habré habrás habrá habremos habréis habrán + hablado comido vivido	habría habrías habría habríamos habríais habrían + hablado comido vivido		haya hayas haya hayamos hayáis hayan + hablado comido vivido	hubiera hubieras hubiera hubiéramos hubierais hubieran + hablado comido vivido

IRREGULAR VERBS

Infinitive Present Participle Past Participle	INDICATIVE					SUBJUNCTIVE		IMPERATIVE
	Present	Imperfect	Preterit	Future	Conditional	Present	Imperfect	
andar andando andado	ando andas anda andamos andáis andan	andaba andabas andaba andábamos andabais andaban	anduve anduviste anduvo anduvimos anduvisteis anduvieron	andaré andarás andará andaremos andaréis andarán	andaría andarías andaría andaríamos andaríais andarían	ande andes ande andemos andéis anden	anduviera anduvieras anduviera anduviéramos anduvierais anduvieran	anda tú, no andes ande usted andemos anden Uds.
caer cayendo caído	caigo caes cae caemos caéis caen	caía caías caía caíamos caíais caían	caí caíste cayó caímos caísteis cayeron	caeré caerás caerá caeremos caeréis caerán	caería caerías caería caeríamos caeríais caerían	caiga caigas caiga caigamos caigáis caigan	cayera cayeras cayera cayéramos cayerais cayeran	cae tú, no caigas caiga usted caigamos caigan Uds.
dar dando dado	doy das da damos dais dan	daba dabas daba dábamos dabais daban	di diste dio dimos disteis dieron	daré darás dará daremos daréis darán	daría darías daría daríamos daríais darían	dé des dé demos deis den	diera dieras diera diéramos dierais dieran	da tú, no des dé usted demos den Uds.

IRREGULAR VERBS (CONTINUED)

Infinitive / Present Participle / Past Participle	INDICATIVE Present	Imperfect	Preterit	Future	Conditional	SUBJUNCTIVE Present	Imperfect	IMPERATIVE
decir / diciendo / dicho	digo	decía	dije	diré	diría	diga	dijera	di tú, no digas
	dices	decías	dijiste	dirás	dirías	digas	dijeras	diga usted
	dice	decía	dijo	dirá	diría	diga	dijera	digamos
	decimos	decíamos	dijimos	diremos	diríamos	digamos	dijéramos	decid vosotros, no digáis
	decís	decíais	dijisteis	diréis	diríais	digáis	dijerais	digan Uds.
	dicen	decían	dijeron	dirán	dirían	digan	dijeran	
estar / estando / estado	estoy	estaba	estuve	estaré	estaría	esté	estuviera	está tú, no estés
	estás	estabas	estuviste	estarás	estarías	estés	estuvieras	esté usted
	está	estaba	estuvo	estará	estaría	esté	estuviera	estemos
	estamos	estábamos	estuvimos	estaremos	estaríamos	estemos	estuviéramos	estad vosotros, no estéis
	estáis	estabais	estuvisteis	estaréis	estaríais	estéis	estuvierais	estén Uds.
	están	estaban	estuvieron	estarán	estarían	estén	estuvieran	
haber / habiendo / habido	he	había	hube	habría	habría	haya	hubiera	
	has	habías	hubiste	habrías	habrías	hayas	hubieras	
	ha	había	hubo	habra	habría	haya	hubiera	
	hemos	habíamos	hubimos	habremos	habríamos	hayamos	hubiéramos	
	habéis	habíais	hubisteis	habréis	habríais	hayáis	hubierais	
	han	habían	hubieron	habrán	habrían	hayan	hubieran	
hacer / haciendo / hecho	hago	hacía	hice	haré	haría	haga	hiciera	haz tú, no hagas
	haces	hacías	hiciste	harás	harías	hagas	hicieras	haga usted
	hace	hacía	hizo	hará	haría	haga	hiciera	hagamos
	hacemos	hacíamos	hicimos	haremos	haríamos	hagamos	hiciéramos	haced vosotros, no hagáis
	hacéis	hacíais	hicisteis	haréis	haríais	hagáis	hicierais	hagan Uds.
	hacen	hacían	hicieron	harán	harían	hagan	hicieran	

IRREGULAR VERBS (CONTINUED)

Infinitive / Present Participle / Past Participle	INDICATIVE Present	Imperfect	Preterit	Future	Conditional	SUBJUNCTIVE Present	Imperfect	IMPERATIVE
ir / yendo / ido	voy vas va vamos vais van	iba ibas iba íbamos ibais iban	fui fuiste fue fuimos fuisteis fueron	iré irás irá iremos iréis irán	iría irías iría iríamos iríais irían	vaya vayas vaya vayamos vayáis vayan	fuera fueras fuera fuéramos fuerais fueran	ve tú, no vayas vaya usted vamos, no vayamos id vosotros, no vayáis vayan Uds.
oír / oyendo / oído	oigo oyes oye oímos oís oyen	oía oías oía oíamos oíais oían	oí oíste oyó oímos oísteis oyeron	oiré oirás oirá oiremos oiréis oirán	oiría oirías oiría oiríamos oiríais oirían	oiga oigas oiga oigamos oigáis oigan	oyera oyeras oyera oyéramos oyerais oyeran	oye tú, no oigas oiga usted oigamos oigan Uds.
poder / pudiendo / podido	puedo puedes puede podemos podéis pueden	podía podías podía podíamos podíais podían	pude pudiste pudo pudimos pudisteis pudieron	podré podrás podrá podremos podréis podrán	podría podrías podría podríamos podríais podrían	pueda puedas pueda podamos podáis puedan	pudiera pudieras pudiera pudiéramos pudierais pudieran	
poner / poniendo / puesto	pongo pones pone ponemos ponéis ponen	ponía ponías ponía poníamos poníais ponían	puse pusiste puso pusimos pusisteis pusieron	pondré pondrás pondrá pondremos pondréis pondrán	pondría pondrías pondría pondríamos pondríais pondrían	ponga pongas ponga pongamos pongáis pongan	pusiera pusieras pusiera pusiéramos pusierais pusieran	pon tú, no pongas ponga usted pongamos pongan Uds.
querer / queriendo / querido	quiero quieres quiere queremos queréis quieren	quería querías quería queríamos queríais querían	quise quisiste quiso quisimos quisisteis quisieron	querré querrás querrá querremos querréis querrán	querría querrías querría querríamos querríais querrían	quiera quieras quiera queramos queráis quieran	quisiera quisieras quisiera quisiéramos quisiérais quisieran	quiere tú, no quieras quiera usted queramos quieran Uds.

IRREGULAR VERBS (*CONTINUED*)

Infinitive / Present Participle / Past Participle	INDICATIVE					SUBJUNCTIVE		IMPERATIVE
	Present	Imperfect	Preterit	Future	Conditional	Present	Imperfect	
saber sabiendo sabido	sé sabes sabe sabemos sabéis saben	sabía sabías sabía sabíamos sabíais sabían	supe supiste supo supimos supisteis supieron	sabré sabrás sabrá sabremos sabréis sabrán	sabría sabrías sabría sabríamos sabríais sabrían	sepa sepas sepa sepamos sepáis sepan	supiera supieras supiera supiéramos supiérais supieran	sabe tú, no sepas sepa usted sepamos sepan Uds.
salir saliendo salido	salgo sales sale salimos salís salen	salía salías salía salíamos salíais salían	salí saliste salió salimos salisteis salieron	saldré saldrás saldrá saldremos saldréis saldrán	saldría saldrías saldría saldríamos saldríais saldrían	salga salgas salga salgamos salgáis salgan	saliera salieras saliera saliéramos salierais salieran	sal tú, no salgas salga usted salgamos salgan Uds.
ser siendo sido	soy eres es somos sois son	era eras era éramos erais eran	fui fuiste fue fuimos fuisteis fueron	seré serás será seremos seréis serán	sería serías sería seríamos seríais serían	sea seas sea seamos seáis sean	fuera fueras fuera fuéramos fuerais fueran	sé tú, no seas sea usted seamos sed vosotros, no seáis sean Uds.
tener teniendo tenido	tengo tienes tiene tenemos tenéis tienen	tenía tenías tenía teníamos teníais tenían	tuve tuviste tuvo tuvimos tuvisteis tuvieron	tendré tendrás tendrá tendremos tendréis tendrán	tendría tendrías tendría tendríamos tendríais tendrían	tenga tengas tenga tengamos tengáis tengan	tuviera tuvieras tuviera tuviéramos tuvierais tuvieran	ten tú, no tengas tenga usted tengamos tened vosotros, no tengáis tengan Uds.
traer trayendo traído	traigo traes trae traemos traéis traen	traía traías traía traíamos traíais traían	traje trajiste trajo trajimos trajisteis trajeron	traeré traerás traerá traeremos traeréis traerán	traería traerías traería traeríamos traeríais traerían	traiga traigas traiga traigamos traigáis traigan	trajera trajeras trajera trajéramos trajerais trajeran	trae tú, no traigas traiga usted traigamos traed vosotros, no traigáis traigan Uds.

IRREGULAR VERBS (*CONTINUED*)

Infinitive Present Participle Past Participle	INDICATIVE					SUBJUNCTIVE		IMPERATIVE
	Present	Imperfect	Preterit	Future	Conditional	Present	Imperfect	
venir viniendo venido	vengo vienes viene venimos venís vienen	venía venías venía veníamos veníais venían	vine viniste vino vinimos vinisteis vinieron	vendré vendrás vendrá vendremos vendréis vendrán	vendría vendrías vendría vendríamos vendríais vendrían	venga vengas venga vengamos vengáis vengan	viniera vinieras viniera viniéramos vinierais vinieran	ven tú, no vengas venga usted vengamos venid vosotros, no vengáis vengan Uds.
ver viendo visto	veo ves ve vemos véis ven	veía veías veía veíamos veíais veían	vi viste vio vimos visteis vieron	veré verás verá veremos veréis verán	vería verías vería veríamos veríais verían	vea veas vea veamos veáis vean	viera vieras viera viéramos vierais vieran	ve tú, no veas vea usted veamos ved vosotros, no veáis vean Uds.

STEM-CHANGING AND ORTHOGRAPHIC-CHANGING VERBS

Infinitive Present Participle Past Participle	INDICATIVE					SUBJUNCTIVE		IMPERATIVE
	Present	Imperfect	Preterit	Future	Conditional	Present	Imperfect	
dormir (ue, u) durmiendo dormido	duermo duermes duerme dormimos dormís duermen	dormía dormías dormía dormíamos dormíais dormían	dormí dormiste durmió dormimos dormisteis durmieron	dormiré dormirás dormirá dormiremos dormiréis dormirán	dormiría dormirías dormiría dormiríamos dormiríais dormirían	duerma duermas duerma durmamos durmáis duerman	durmiera durmieras durmiera durmiéramos durmierais durmieran	duerme tú, no duermas duerma usted durmamos dormid vosotros, no durmáis duerman Uds.

STEM-CHANGING AND ORTHOGRAPHIC-CHANGING VERBS (*CONTINUED*)

Infinitive Present Participle Past Participle	INDICATIVE					SUBJUNCTIVE		IMPERATIVE
	Present	Imperfect	Preterit	Future	Conditional	Present	Imperfect	
incluir (y) incluyendo incluido	incluyo incluyes incluye incluimos incluís incluyen	incluía incluías incluía incluíamos incluíais incluían	incluí incluiste incluyó incluimos incluisteis incluyeron	incluiré incluirás incluirá incluiremos incluiréis incluirán	incluiría incluirías incluiría incluiríamos incluiríais incluirían	incluya incluyas incluya incluyamos incluyáis incluyan	incluyera incluyeras incluyera incluyéramos incluyerais incluyeran	incluye tú, no incluyas incluya usted incluyamos incluid vosotros, no incluyáis incluyan Uds.
pedir (i, i) pidiendo pedido	pido pides pide pedimos pedís piden	pedía pedías pedía pedíamos pedíais pedían	pedí pediste pidió pedimos pedisteis pidieron	pediré pedirás pedirá pediremos pediréis pedirán	pediría pedirías pediría pediríamos pediríais pedirían	pida pidas pida pidamos pidáis pidan	pidiera pidieras pidiera pidiéramos pidierais pidieran	pide tú, no pidas pida usted pidamos pedid vosotros, no pidáis pidan Uds.
pensar (ie) pensando pensado	pienso piensas piensa pensamos pensáis piensan	pensaba pensabas pensaba pensábamos pensabais pensaban	pensé pensaste pensó pensamos pensasteis pensaron	pensaré pensarás pensará pensaremos pensaréis pensarán	pensaría pensarías pensaría pensaríamos pensaríais pensarían	piense pienses piense pensemos penséis piensen	pensara pensaras pensara pensáramos pensarais pensaran	piensa tú, no pienses piense usted pensemos pensad vosotros, no penséis piensen Uds.

STEM-CHANGING AND ORTHOGRAPHIC-CHANGING VERBS (*CONTINUED*)

Infinitive / Present Participle / Past Participle	INDICATIVE					SUBJUNCTIVE		IMPERATIVE
	Present	**Imperfect**	**Preterit**	**Future**	**Conditional**	**Present**	**Imperfect**	
producir (zc) produc, produciendo producido	produzco produces produce producimos producís producen	producía producías producía producíamos producíais producían	produje produjiste produjo produjimos produjisteis produjeron	produciré producirás producirá produciremos produciréis producirán	produciría producirías produciría produciríamos produciríais producirían	produzca produzcas produzca produzcamos produzcáis produzcan	produjera produjeras produjera produjéramos produjerais produjeran	produce tú, no produzcas / produzca usted / produzcamos / pruducid vosotros, no produzcáis / produzcan Uds.
reír (i, i) riendo reído	río ríes ríe reímos reís ríen	reía reías reía reíamos reíais reían	reí reíste rio reímos reísteis rieron	reiré reirás reirá reiremos reiréis reirán	reiría reirías reiría reiríamos reiríais reirían	ría rías ría riamos riáis rían	riera rieras riera riéramos rierais rieran	ríe tú, no rías / ría usted / riamos / reíd vosotros, no riáis / rían Uds.
seguir (i, i) (ga) siguiendo seguido	sigo sigues sigue seguimos seguís siguen	seguía seguías seguía seguíamos seguíais seguían	seguí seguiste siguió seguimos seguisteis siguieron	seguiré seguirás seguirá seguiremos seguiréis seguirán	seguiría seguirías seguiría seguiríamos seguiríais seguirían	siga sigas siga sigamos sigáis sigan	siguiera siguieras siguiera siguiéramos siguierais siguieran	sigue tú, no sigas / siga usted / sigamos / seguid vosotros, no sigáis / sigan Uds.
sentir (ie, i) sintiendo sentido	siento sientes siente sentimos sentís sienten	sentía sentías sentía sentíamos sentíais sentían	sentí sentiste sintió sentimos sentisteis sintieron	sentiré sentirás sentirá sentiremos sentiréis sentirán	sentiría sentirías sentiría sentiríamos sentiríais sentirían	sienta sientas sienta sintamos sintáis sientan	sintiera sintieras sintiera sintiéramos sintierais sintieran	siente tú, no sientas / sienta usted / sintamos / sentid vosotros, no sintáis / sientan Uds.

STEM-CHANGING AND ORTHOGRAPHIC-CHANGING VERBS (*CONTINUED*)

| Infinitive Present Participle Past Participle | INDICATIVE | | | | | SUBJUNCTIVE | | IMPERATIVE |
	Present	Imperfect	Preterit	Future	Conditional	Present	Imperfect	
volver (ue) volviendo vuelto	vuelvo	volvía	volví	volveré	volvería	vuelva	volviera	
	vuelves	volvías	volviste	volverás	volverías	vuelvas	volvieras	vuelve tú, no vuelvas
	vuelve	volvía	volvió	volverá	volvería	vuelva	volviera	vuelva usted
	volvemos	volvíamos	volvimos	volveremos	volveríamos	volvamos	volviéramos	volvamos
	volvéis	volvíais	volvisteis	volveréis	volveríais	volváis	volvierais	volved vosotros, no volváis
	vuelven	volvían	volvieron	volverán	volverían	vuelvan	volvieran	vuelvan Uds.

Spanish–English Glossary

NOTE: Numbers indicate the chapters where the vocabulary words and phrases appear.

A

abrazar (c) *to embrace* 7
academia, la *academy* 4
acciones, las *shares* 10
aceite, el *oil* 6
aceituna, la *olive* 6
aceptar *to accept* 7
acueducto, el *aqueduct* 3
adelanto, el *progress, step forward* 3
adobe, el *adobe, mud brick* 4
adorar *to worship* 1
adornado/a *adorned, decorated* 3
advertir (ie, i) *to warn* 9
afianzar (c) *to strengthen* 7
aficionado/a, el/la *fan* 5
africano/a, el/la *African* 1
agricultor/a, el/la *farmer* 4
águila, el *eagle* 4
ahijada, la *goddaughter* 7
ahijado, el *godson* 7
ahorrar *to save* 9
aimara, el/la *Aymara* 1
ají, el *(a type of) hot pepper* 6
ajo, el *garlic* 6
alargar *to prolong, to lengthen* 7
a largo plazo *long-term* 10
alcachofa, la *artichoke* 6
almendra, la *almond* 6
a lo largo de *along, all through* 9
altibajos, los *ups and downs* 7
altiplano, el *plateau* 1
alto/a *high, tall* 9
altura, la *height* 9
amar *to love* 7
amargo/a *bitter* 6
Amazonía, la *Amazon region* 9
ambiente, el *atmosphere* 2
amenaza, la *threat* 9
a menudo *often* 7
amistad, la *friendship* 7
amor, el *love* 7
amplio/a *broad, wide* 2
animado/a *cheerful, lively* 7
anís, el *aniseed* 6
antecedentes, los *background* 1
antes *before* 1
anuncio, el *advertisement* 2
aparato de DVD, el *DVD player* 10
aparato, el *apparatus; appliance* 10
aparecer (zc) *to appear; to come into view* 7
apertura, la *opening* 8
a pesar de *in spite of* 5
aplacar (q) *to approve, to placate* 7
apreciar *to appreciate* 4
aprendizaje, el *learning* 10
aprovechar *to take advantage* 10
árabe, el *Arabic* 2
árbitro, el *referee* 5
archivo, el *archive* 5
arco, el *arch* 4
árido/a *arid* 9
aritmética, la *arithmetic* 3
arquitecto/a, el/la *architect* 4
arroz, el *rice* 6
artesanía, la *handicrafts* 4

artístico/a *artistic* 4
asar *to roast* 6
aséptico/a *sterile* 7
así *so, in this way, thus* 3
asociar *to associate* 2
astronomía, la *astronomy* 3
atmósfera, la *atmosphere* 9
a través de *through* 2
aula, el *lecture room* 4
aumentar *to increase* 10
aumento, el *increase* 10
autóctono/a *indigenous* 1
autor/a, el/la *author* 2
avanzado/a *advanced* 3
azafrán, el *saffron* 6
azteca, el/la *Aztec* 1

B

baile, el *dance* 5
baloncesto, el *basketball* 5
balsa, la *raft* 3
banca, la *banking sector* 10
barco, el *ship* 8
barro, el *clay* 4
basura, la *garbage, waste* 9
batidora, la *blender* 10
béisbol, el *baseball* 5
bélico/a *warlike* 5
beneficiar *to benefit* 10
beneficio, el *benefit* 10
besar *to kiss* 7
bien, el *good* 3
bienes, los *goods* 10
bienes de consumo, los *consumer goods* 10
billete, el *paper currency; ticket* 1
bolera, la *bowling alley* 2
bolsa, la *stock exchange* 10
bosque, el *forest, woods* 9
bosquejo, el *outline* 2
brillo, el *brightness, shine* 7

C

cacao, el *cocoa plant* 6
cacique, el *chief, boss* 3
calentamiento, el *warming* 9
calidad del aire, la *air quality* 9
caluroso/a *hot* 9
cámara digital, la *digital camera* 10
cambiar de código lingüístico *to code-switch* 2
cambio climático, el *climate change* 9
campeonato, el *championship* 5
campesino/a, el/la *peasant* 4
campo, el *countryside* 9
cancha, la *court; field (sports)* 5
canela, la *cinnamon* 6
cantante, el/la *singer* 1
capa de ozono, la *ozone layer* 9
carbohidrato, el *carbohydrate* 6
cariño, el *affection, love* 7
carnaval, el *carnival* 3
carne (molida), la *(ground) meat* 6
carretera, la *road* 9

castellano, el *Castilian Spanish (language)* 1; *Spanish (language)* 2
castigar *to punish* 7
castigo, el *punishment* 7
castigo físico, el *physical punishment* 8
castillo, el *castle* 4
cebolla, la *onion* 6
celebrar *to celebrate* 3
celos, los *jealousy* 7
celoso/a *jealous* 3, 7
celta, el *Celtic* 2
ceniza, la *ash* 2
censurar *to censure* 4
cerámica, la *ceramics, pottery* 4
cerdo, el *pork* 6
ceremonial *ceremonial* 3
ceviche, el *marinated raw fish* 6
chile, el *chile pepper* 6
chocolate, el *chocolate* 6
ciclismo, el *bicycling, cycling* 5
claves, las *Cuban percussion instrument* 1
cocinar *to cook* 6
código lingüístico, el *linguistic code* 2
colorista *colorful* 4
comenzar (c, ie) *to begin* 4
comino, el *cumin* 6
compadrear *to go out with friends, in a group of friends* 2
comparar *to compare* 1
compartir *to share* 1
competencia, la *competition* 5
complejo/a *complex* 4
comportamiento, el *behavior* 7
comportarse *to behave* 7
compositor/a, el/la *composer* 1
comprobar (ue) *to check; to verify* 4
comprometerse a *to commit oneself; to promise* 7
compromiso, el *commitment* 5, 7
computadora portátil, la *laptop* 10
comunidad lingüística, la *linguistic community* 2
concierto, el *concert* 4
conectarse *to connect* 5
conga, la *conga* 1
congelarse *to freeze (over)* 9
conquistador, el *conqueror* 3
conquista, la *conquest* 3
conquistar *to conquer* 1
conseguir (i, i) *to get, to obtain* 2
conservación, la *conservation* 9
consola, la *game console* 10
construir (y) *to build* 4
consumir *to consume; to eat* 6
contaminación, la *pollution* 9
contaminar *to pollute, to contaminate* 9
contar (ue) *to tell; to count* 8
contendiente, el/la *contestant/opponent* 5
controlador/a *controlling* 7
convivencia, la *living together* 7
cordero, el *lamb* 6
correo electrónico, el *e-mail* 5
correr *to run* 5
corrido, el *Mexican song form* 1
cortar en rodajas *to slice, to cut into slices* 6
cosmopolita *cosmopolitan* 2
costa, la *coast* 9

costumbre, la *custom* 1
crecer (zc) *to grow* 10
criar *to raise* 9
criollo/a, el/la *Creole* 1
crisis, la *crisis* 10
crisol, el *melting pot* 1, 3
cristiano/a *Christian* 3
crítica, la *critique* 4
criticar (q) *to critique; to criticize* 4
crudo/a *raw* 6
cruzar (c) *to cross* 4
cruz, la *cross* 4
cuadrado/a *square* 1
cuadro, el *picture* 4, 8
cualquier/a *any* 3
cultivar *to grow, to cultivate* 6
cumbia, la *music and dance from Caribbean coast of Colombia* 1

D

danza, la *dance* 3
danzarina, la *dancer* 3
danzarín, el *dancer* 3
dar de alta *to discharge* 7
dar un consejo *to advise, to give advice* 7
dato, el *fact, piece of information* 3
de acuerdo con *according to* 8
defensor, el *defender* 10
deforestación, la *deforestation* 9
degradación, la *deterioration* 9
degradar *to degrade* 9
demás, los *the others, the rest* 7
democracia, la *democracy* 8
demonio, el *devil, demon* 3
depender de *to depend on* 5
deportista, el/la *sportsman, sportswoman, athlete* 5
derechos humanos, los *human rights* 8
de repente *suddenly* 9
derrame, el *spill* 9
derretirse (i, i) *to melt* 9
derrota, la *defeat* 5
desaparecer (zc) *to disappear* 3
desaparición, la *disappearance* 10
desarrollo, el *development* 8
desbordante *boundless, unlimited* 5
desempleado/a, el/la *unemployed person* 10
desenlace, el *outcome, ending* 2
desertización, la *desertification* 9
desesperado/a *desperate, hopeless* 7
desfile, el *parade* 3
desierto, el *desert* 9
desligado/a *separate, disconnected* 5
deslizar *to slide* 5
destacar (q) *to emphasize* 1
destruir (y) *to destroy* 3
diablo, el *devil* 3
dialecto, el *dialect* 2
dibujar *to draw* 4
dibujo, el *drawing* 4
dictador/a, el/la *dictator* 8
dictadura, la *dictatorship* 8
difusión, la *spreading, diffusion* 4
dios/a, el/la *god/goddess* 3
dióxido de carbono, el *carbon dioxide* 9
disciplinar *to discipline* 7
discriminación, la *discrimination* 8
diseñar *to design* 4
diseño, el *design* 4
disfrutar *to have fun; to enjoy* 5
distinto/a *different* 2
diversidad, la *diversity* 1
divinidad, la *deity* 3
droga, la *drug* 8
dulce *sweet* 6
duro/a *hard* 7

E

echar un vistazo *have a look at* 10
ecosistema, el *ecosystem* 9
efecto invernadero, el *greenhouse effect* 9
eficacia, la *efficiency, effectiveness* 10
egoísta *selfish* 7
elegir (i, i, j) *to choose, to select* 10
empate, el *draw, tie* 5
emperador, el *emperor* 3
emperatriz, la *empress* 3
empezar (ie, c) *to begin* 8
empleo, el *job, employment* 10
empresa, la *company, corporation* 10
enamorado/a *in love* 7
en conjunto, el *as a whole, overall* 8
en contra de *against* 10
encontrar (ue) *to find* 1, 2
en desarrollo *developing* 10
energía eólica, la *wind power* 9
enfadarse *to get angry* 7
enfermedad, la *illness* 8
enfrentamiento (bélico), el *(military) clash, confrontation* 5
enojarse *to get angry* 7
ensayar *to rehearse* 3
ensayo *essay* 2
entenderse (ie) *to communicate, to understand each other* 2
entrenador/a, el/la *trainer, coach* 5
entretener (g, ie) *to entertain* 7
entrevista, la *interview* 2
envidioso/a *envious* 7
envolver (ue) *to wrap* 6
equipo, el *team; equipment* 5
erupción, la *eruption* 3
escasez, la *scarcity* 9
esclavitud, la *slavery* 8
esclavo/a, el/la *slave* 8
escoger (j) *to choose* 1
escritor/a el/la, *writer* 1, 2
escudo nacional, el *coat of arms* 1
escultor/a, el/la *sculptor* 1
escultura, la *sculpture* 3, 4
espanglish, el *Spanglish* 2
español/a, el/la *Spaniard* 1
español, el *Spanish (language)* 1
especia, la *spice* 6
especie, la *species* 9
esposa, la *wife* 7
esposo, el *husband* 7
espumoso/a *foamy* 6
establecer (zc) *to establish, to settle* 2
estar al día *to be up to date* 5
estar de acuerdo *to agree* 5
estar en desacuerdo *to disagree* 5
estético/a *aesthetic* 4
estrés, el *stress* 4
étnico/a *ethnic* 1
evitar *to avoid* 9
evolucionar *to develop, evolve* 1; *to evolve* 2
exigente *demanding* 7
experimentar *to experience* 5
explicar (q) *to explain* 1, 2
explotación, la *exploitation* 8
exportación, la *export; exportation* 10
exposición de arte, la *art exhibit* 4
extinción, la *extinction* 9
extrañar *to miss* 2
extranjero/a *foreign* 10

F

fábrica, la *factory* 9, 10
fabricar (q) *to make, to produce* 10
facilitar *to make easier, to facilitate* 10

festejo, el *festivity* 3
fibra, la *fiber* 6
financiero/a *financial* 10
física, la *physics* 3
fluvial *fluvial, pertaining to a river* 9
folleto, el *brochure* 2
formulario, el *form* 2
frágil *fragile* 7
francés, el *French (language)* 2
freír (i, i) *to fry* 6
frenar *to curb* 9
fresco/a *fresh* 6
frontera, la *border* 1
fugaz *fleeting* 5
funcionar *to work (machine), to function* 5
fundirse *to melt* 9
furioso/a *furious* 7
fútbol, el *soccer* 5

G

ganado, el *cattle* 6
ganar *to win* 5
género, el *gender* 1
giro, el *whirl; twirl* 1
globalización, la *globalization* 10
gobierno, el *government* 8
godo, el *Gothic* 2
gradas, las *stands* 5
grafiti, el *graffiti* 4
gramática, la *grammar* 2
granja, la *farm* 9
grano (integral), el *(whole) grain* 6
grasa, la *fat* 6
griego/a, el/la *Greek* 1
guaraní, el *Guarani* 2
guerra, la *war* 2
guerrero/a *warlike* 3
guerrero/a, el/la *warrior* 3
guerrillero/a, el/la *freedom fighter* 4
güiro, el *percussion instrument used in Caribbean music* 1
guisar *to cook* 6

H

habitante, el/la *inhabitant* 3
hablante, el/la *speaker* 2
harina, la *flour* 6
hebreo, el *Hebrew* 2
hecho, el *fact* 8
helado/a *frozen* 9
helado, el *ice cream* 6
heredar *to inherit* 1
herencia, la *heritage* 1
heterogéneo/a *heterogeneous* 1
hidráulica, la *hydraulics* 3
hielo, el *ice* 9
hija, la *daughter* 7
hijastra, la *stepdaughter* 7
hijastro, el *stepson* 7
hijo, el *son* 7
hincha, el/la *fan* 5
hipoteca, la *mortgage* 10
hispano/a, el/la *Hispanic* 1
hito, el *milestone* 5
homogéneo/a *homogeneous, same* 1, 2
hornear *to bake* 6
horno microondas, el *microwave oven* 10
hoy en día *nowadays* 3
huella, la *trace, mark* 1
huevo, el *egg* 6
húmedo/a *humid* 9
humillación, la *humiliation* 8
huracán, el *hurricane* 2

I

identificarse (q) *to identify with* 5
idioma, el *language* 2
imborrable *unforgettable* 3
imperio, el *empire* 3
importación, la *importation* 10
impuestos, los *taxes* 10
impulso, el *boost* 10
inca, el/la *Inca* 1
incertidumbre, la *uncertainty* 10
inclinado/a *inclined, sloping* 4
inconveniente, el *disadvantage, drawback* 10
independencia, la *independence* 8
indígena, el/la *indigenous person* 1
individualismo, el *individualism* 7
inestable *unstable* 7
infarto, el *heart attack* 7
infeliz *unhappy* 7
influenciar *to influence* 4
inglés, el *English* 2; *English (language)* 1
ingresado/a *to be admitted* 7
inquietud, la *worry, concern* 7
inseparable *inseparable* 3
interesarse *to be interested in* 4
intolerante *intolerant* 7
inundación, la *flood* 9
inversión, la *investment* 10
inversor/a, el/la *investor* 8
irradiar *to radiate* 7

J

jengibre, el *ginger* 6
juego, el *match, game* 5
jugador/a, el/la *player* 5
jugar (ue) a *to play* 5
juntos/as *together* 7

L

ladrón, el *thief, robber* 3
latín, el *Latin (language)* 1
latino/a, el/la *Latino/a* 1
lazo, el *bond, tie* 7
lechuga, la *lettuce* 6
lengua franca, la *lingua franca* 2
lengua, la *language* 1
levantarse en contra de *to rise up against; to protest* 8
libertad (de expresión), la *freedom (of speech)* 8
libre comercio, el *free trade* 10
ligero/a *light* 5
lima, la *lime* 6
limón, el *lemon* 6
liviano/a *light* 6
llamativo/a *striking, appealing* 4
llano, el *plain* 9
llegar (u) *to arrive, to reach* 2
llevar *to wear* 5
llevar pegado/a *to remain close by* 7
llover (ue) *to rain* 9
lluvia, la *rain* 9
localizar *to locate; to get a hold of* 10
logro, el *accomplishment* 1
lucha, la *fight, struggle* 8
luchar *to fight* 8

M

madera, la *wood* 4
madrina, la *godmother* 7
maestro/a, el/la *master* 4

maíz, el *corn* 6
mal, el *evil* 3
malherido/a *wounded* 3
maltrato, el *mistreatment* 8
manera, la *way, manner* 10
mano de obra, la *labor, manpower* 8
manta, la *blanket* 4
mantener (ie, g) *to maintain* 1, 2
maqueta, la *scale model* 4
máquina, la *machine* 10
mar, el *sea* 3
marginado/a *outcast, marginalized* 8
marido, el *husband* 7
marinar *to marinate* 6
marisco, el *seafood, shellfish* 6
maya, el/la *Maya* 2; *Mayan* 1
mecánica, la *mechanics* 3
medioambiental *environmental* 9
medios de comunicación, los *media* 2
mejoras, las *improvements, progress* 8
mensaje de texto *text message* 10; *text message, SMS* 5
mentir (ie, i) *to lie* 3
mentira, la *lie* 7
mentiroso/a *lying* 3
mercado callejero, el *street market* 2
mercado de valores, el *stock market* 10
mercancía, la *merchandise* 10
meseta, la *plateau* 9
mestizo/a el/la *person of mixed race* 1
metal, el *metal* 3
mezcla, la *mix, blend* 3
mezclar *to mix, to mix up* 2
miel, la *honey* 6
mina, la *mine* 3
minero, el *miner* 3
mismo/a *same* 10
mito, el *myth* 3
monolito, el *monolith* 3
morir (ue, u) *to die* 3
mostrar (ue) *to show* 4
mujer, la *woman; wife* 7
multar *to fine* 9
muralismo, el *muralism* 4
muralista, el/la *mural artist* 1; *muralist* 4
museo, el *museum* 4
músico, el/la *musician* 1

N

nación, la *nation* 2
náhuatl, el *Nahautl* 2
naranja, la *orange* 6
narcotráfico, el *drug traffic* 8
negocio, el *business* 8
nivel de vida, el *standard of living* 8
no obstante *nevertheless* 10
novela, la *novel* 2
novia, la *girlfriend, fiancée* 7
novio, el *boyfriend, fiancé* 7

O

obra, la *work (of art)* 4
océano, el *ocean* 3
ocio, el *leisure* 5
ocupar *to occupy* 9
ocurrir *to occur* 2
odio, el *hatred* 7
ofrecerse (zc) *to offer oneself; to volunteer* 3
ofrenda, la *offering* 3
óleo, el *oil paint, oil painting* 4
opresión, la *oppression* 8
oprimido/a *oppressed* 8

ordenador portátil, el *laptop* 5
orfebrería, la *goldsmithing* 3
oro, el *gold* 3
ovalado/a *oval* 1

P

padrastro, el *stepfather* 7
padrino, el *godfather* 7
paisaje, el *landscape (painting)* 4
país emergente, el *developing country* 8
palacio, el *palace* 4
pantalla, la *screen* 10
pantalla táctil, la *touch screen* 5
papa, la *potato* 6
papel, el *role* 10
paracaidismo, el *parachuting* 5
parecer (zc) *to seem* 4
pared, la *wall* 4
parrillada, la *grilled meats* 6
participar *to participate in; to play* 5
partido, el *game, match* 5
pasar el tiempo *to spend time* 7
pasarlo genial *to have a great time* 10
pasar por *to go through/via* 10
pasillo, el *corridor* 7
pastel, el *cake* 6
pasto, el *pasture* 9
patata, la *potato* 6
patear *to kick* 5
patinador/a, el/la *skater* 5
patrimonio, el *heritage* 2
pelear *to fight* 7
peligro, el *danger* 9
pelota, la *ball* 5
perder (ie) *to lose* 5
perenne *perennial, evergreen; constant* 7
perfeccionar *to improve, to perfect* 2
perfeccionista *perfectionist* 7
perjudicar *to damage* 10
permisivo/a *permissive* 7
personaje, el *character (in a story)* 3
peruano/a, el/la *Peruvian* 1
pescado, el *fish* 6
pescar (q) *to fish* 9
picante *hot (spicy)* 6
piedra, la *stone* 3
pillar *to catch, find* 10
pimienta, la *pepper* 6
pintar *to paint* 4
pintor/a, el/la *painter* 1
pintura, la *paint, painting* 4
pirámide, la *pyramid* 4
plano, el *map, plan* 4
plátano, el *banana* 6
pluma, la *feather* 3
pluviosidad, la *rainfall* 9
población, la *population* 8
pobladores, los *dwellers, inhabitants* 3
poco a poco *little by little* 7
poder, el *power* 8
poesía, la *poetry* 2
polifacético/a *multifaceted* 4
política, la *politics* 8
político/a *political* 8
pollo, el *chicken* 6
ponerse *to put on clothing; to become* 7
por lo menos *at least* 10
portal, el *vestibule, entrance hall* 2
portarse *to behave* 7
portugués, el *Portuguese* 1
portuguesa, la *Portuguese* 1
postre, el *dessert* 6
potencia, la *power (economic, military)* 8
pozo, el *mine shaft* 3

predecir (i, g) *to predict* 10
premio, el *award, prize* 1
preocuparse por *to worry about* 7
préstamo, el *loan* 2
prestar *to lend* 4
privar *to deprive* 8
probar (ue) *to taste* 6
procesión, la *procession* 3
prohibir *to prohibit, to forbid* 7
propiciado/a *favored* 8
propio/a *own* 1
prosperidad, la *prosperity* 10
protección, la *protection* 9
proteger (j) *to protect* 9
provocar (q) *to cause; to bring about* 10
prueba, la *proof; sign* 3
pueblo, el *people; town* 2
puente, el *bridge* 4
puenting, el *bungee jumping* 5
puerco, el *pork* 6
puerto, el *port, harbor* 1
puesto, el *position* 8

Q

quechua, el *Quechua* 2
quedar *to remain, to be left (over); to fit (clothing)* 4
quedarse rezagado/a *to be outdated* 5
quejarse de *to complain* 7
queso, el *cheese* 6

R

raíz, la (las raíces) *root(s)* 3
realizar (c) *to carry out, to execute* 4
reciclaje, el *recycling* 9
reciprocidad, la *reciprocity* 7
recoger (j) *to gather* 9
recuperación, la *recovery* 8
recuperarse *to recover* 7
recurso, el *resource* 8
Red, la *Internet, World Wide Web* 5; *network; Web (usually cap.)* 10
redondo/a *round* 1
red social, la *social network* 5
reforzar (ue) (c) *to reinforce, strengthen* 9
regalar *to give as a gift* 4
reivindicar *to claim, to assert* 2
relatar *to tell, to report* 2
relato, el *story* 3
rellenar *to fill; to stuff* 6
remontarse a *to date back to* 3
rendimiento, el *performance* 5
rentable *cost effective* 10
repartido/a *distributed* 8
representar *to represent* 3
reproductor portátil de música, el *portable music/media player* 5
res, la *beef* 6
resolver (ue) *to solve* 8
respetar *to respect* 8
respeto, el *respect* 8
restos, los *remains* 1
retrato, el *portrait* 4

reunirse *to get together* 7
revisar *to check, to review* 10
rico/a, el/la *wealthy person* 8
riesgo, el *risk* 5
riqueza, la *richness* 3; *wealth* 1
romper *to break (up)* 7
ruinas, las *ruins* 1
rumba, la *rumba* 1

S

sabor, el *taste, flavor* 6
sacrificio, el *sacrifice* 3
salado/a *salty* 6
salario, el *salary, wage* 10
salir (g) *to go out* 7
sal, la *salt* 6
saludable *healthy* 1
saludar *to greet* 7
samba, la *samba* 1
sangre, la *blood* 1
seco/a *dry* 9
seguidor/a, el/la *supporter/fan* 5
seguimiento, el *following* 5
seguir (i, i) (una dieta) *to follow (to be on a diet)* 7
seguir (i, i) *to follow; to continue* 10
sello postal, el *postage stamp* 1
selva, la *jungle* 9
selva tropical, la *rainforest* 9
semejante *similar* 2
semejanza, la *similarity* 1
semilla, la *seed* 6
sentimiento, el *feeling* 7
sentir(se) (ie, i) *to be sorry; to feel* 2, 7
sequía, la *drought* 9
servicial *helpful* 7
sésamo, el *sesame* 6
significado, el *meaning* 1, 2
sincretismo, el *syncretism* 3
sin duda *no doubt* 1
soja, la *soy, soybean* 9
soler (ue) *to be accustomed to, to be in the habit of* 2
solidaridad, la *solidarity, support* 5
soportar *to bear, to tolerate* 8
suelo, el *earth, ground* 9
sufrimiento, el *suffering* 8
sumergir(se) *to submerge* 9
supervivencia, la *survival* 9

T

tala, la *cutting, felling (trees)* 9
taller, el *workshop; studio* 4
tardar *to take a certain amount of time to do something* 2
teatro, el *theater* 3
techo, el *roof* 4
teclado, el *keyboard, keypad* 5
teclado inalámbrico, el *wireless keyboard* 10
teclear *to key in, to type (in)* 5
teléfono móvil, el *cell phone* 5
temblor de tierra, el *earth tremor* 3
temer *to fear, to be afraid* 3

templo, el *temple* 3
tenis, el *tennis* 5
terremoto, el *earthquake* 3
terreno de pasto, el *pasture* 9
territorio, el *territory* 2
tesoro, el *treasure* 3
tiempo libre, el *free time* 5
tierra, la *land, ground, earth* 3
timbal, el *kettledrum* 1
tirar *to throw away, to dispose of* 9
tocar (q) (un instrumento) *to play (an instrument)* 4
tolerar *to tolerate* 7
tomar medidas *to take steps, measures* 9
tomate, el *tomato* 6
trabajo infantil, el *child labor* 10
tradición, la *tradition, custom* 3
traer (g) *to bring* 2
traficante, el/la *dealer* 8
trama, la *plot* 3
tratado, el *treaty* 10
trigo, el *wheat* 6
triste *sad* 7
triunfo, el *triumph* 3; *victory* 5

U

último/a *last* 10
uso, el *use* 2
usuario/a, el/la *user* 5
uva, la *grape* 6

V

vainilla, la *vanilla* 6
valle, el *valley* 3
valorar *to assess; to attach a value to* 10
valor/es, el/los *(moral) value/values* 1
variado/a *varied* 9
variar *to vary* 2
variedad, la *variety* 2
vasallo, el *vassal* 8
vasija, la *vessel, pot (container)* 4
vejación, la *abuse* 8
vencer (z) *to beat* 5
verbena, la *night festival* 3
verdadero/a *true* 7
videojuego, el *video game* 5
viento, el *wind* 1
violación, la *violation* 8
volcán, el *volcano* 3

Y

yacimiento, el *field, deposit* 8
yogur, el *yogurt* 6

Z

zanahoria, la *carrot* 6
zona desértica, la *desert* 9

Index

Credits

México, América Central y el Caribe

ESTADOS UNIDOS

Mexicali
Tijuana
Nogales
Ciudad Juárez

Río Bravo del Norte
Río Grande

Nuevo Laredo

Golfo de México

SIERRA MADRE OCCIDENTAL
SIERRA MADRE ORIENTAL

Baja California

Golfo de California

Monterrey

MÉXICO

Mérida
Península de Yucatán

Guadalajara
Comala
México, D.F.
Taxco
Veracruz

Palenque
Tikal
Belr
BE

Acapulco
Oaxaca

GUATEMALA

Quetzaltenango
Guatemala
Volcán Izalco
Sar
Salvad
Co

EL SALVADOR

OCÉANO

PACÍFICO

Islas
Galápagos
(Ec.)

⊛ Capital
• Otra ciudad
▲ Volcán
∴ Ruinas

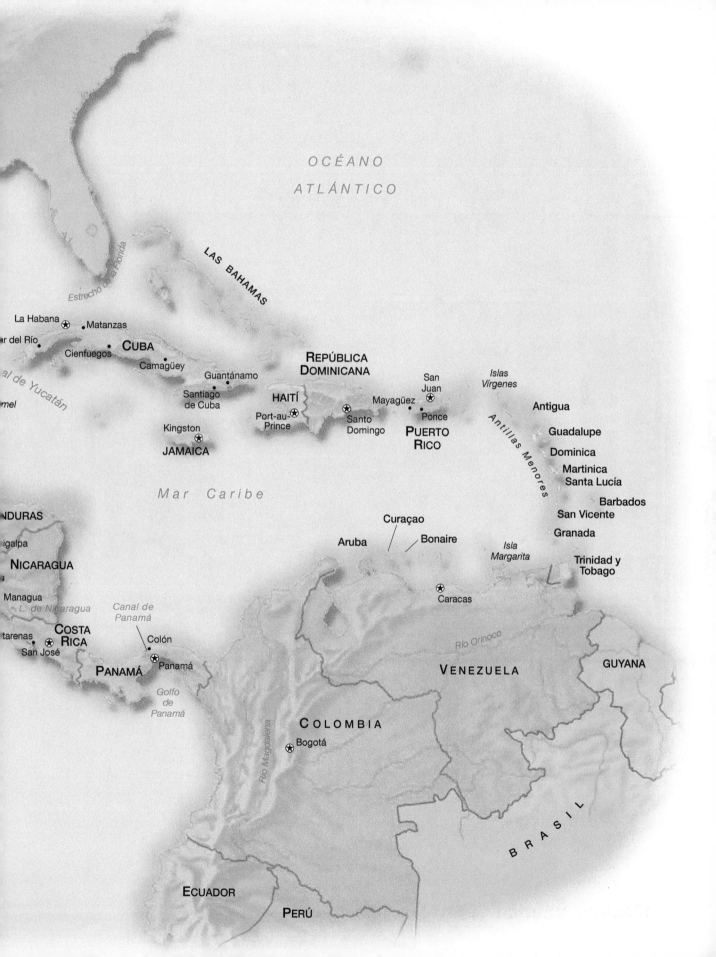

Mar Caribe

OCÉANO
ATLÁNTICO

Barranquilla
Cartagena
Maracaibo
Caracas
Barquisimeto

Medellín
VENEZUELA
Río Orinoco

Georgetown
Paramaribo
GUYANA
Cayenne
GUAYANA
FRANCESA
(Francia)

Manizales
Salto
Ángel
SURINAM
CORDILLERA DE LOS ANDES

Bogotá
COLOMBIA

Cali

Quito
Ecuador
ECUADOR

Guayaquil
Cuenca
Iquitos
Río Amazonas
Belém

Islas
Galápagos
(Ec.)
Manaus
Fortaleza

Cajamarca
Río Madeira

Trujillo
PERÚ
Río Branco
B R A S I L
Recife

Lima
Machu
Picchu
Ayacucho
Cuzco
BOLIVIA
Salvador

Arequipa
Lago
Titicaca
La Paz
Brasília

OCÉANO
PACÍFICO
Cochabamba
Santa Cruz

I. Pinta
I. Marchena
Arica
Sucre
Potosí
Belo
Horizonte

I. Fernandina
I. San Salvador
Iquique
Desierto de Atacama

I. Isabela
Santa Cruz
I. Santa Cruz
PARAGUAY
São Paulo
Río de Janeiro

Puerto
Ayora
I. San
Cristóbal
Antofagasta
Asunción
Santos
Trópico de Capricornio

Puerto
Villamil
Puerto
Baquerizo
Moreno
Salta
Salto
Iguazú

ISLAS GALÁPAGOS
(ECUADOR)
CHILE
San Miguel
de Tucumán
Pôrto Alegre

CORDILLERA DE LOS ANDES
ARGENTINA
Río Paraná
Río Uruguay

OCÉANO
PACÍFICO
Coquimbo
Córdoba
Rivera
URUGUAY

Cabo Norte
Volcán
Katiki
Cabo
Cumming
Valparaíso
Mendoza
Rosario
Buenos Aires
Montevideo

Hanga Roa
Santiago
La Plata
Río de la Plata
OCÉANO
ATLÁNTICO

Mataveri
Concepción
Bahía Blanca

ISLA DE PASCUA
(CHILE)
Puerto Montt

OCÉANO
PACÍFICO

Estrecho de
Magallanes
Islas
Malvinas
(G.B.)

Punta Arenas
TIERRA DEL FUEGO
Cabo de Hornos

América del Sur

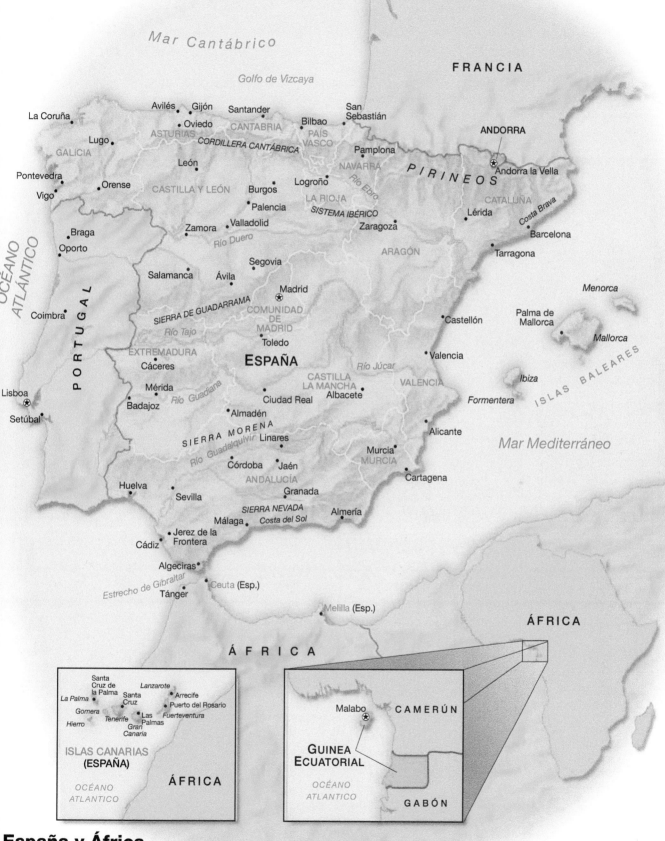

Mar Cantábrico

Golfo de Vizcaya

FRANCIA

La Coruña
Avilés • Gijón
• Oviedo
Santander
ASTURIAS   CANTABRIA
Bilbao
San Sebastián
ANDORRA
Andorra la Vella

Lugo
GALICIA
CORDILLERA CANTÁBRICA
PAÍS VASCO
Pamplona
PIRINEOS

León
NAVARRA

Pontevedra
Orense
CASTILLA Y LEÓN
Burgos
Logroño
LA RIOJA
Río Ebro
CATALUÑA
Lérida
Costa Brava

Vigo

Braga
Oporto

Zamora
Valladolid
Palencia
SISTEMA IBÉRICO
Zaragoza
ARAGÓN
Barcelona
Tarragona

Río Duero

OCÉANO
ATLÁNTICO

Segovia

Coimbra

Salamanca
Ávila

Madrid
COMUNIDAD DE MADRID
Menorca

PORTUGAL

SIERRA DE GUADARRAMA
Río Tajo

Castellón
Palma de Mallorca
Mallorca

EXTREMADURA
Toledo
ESPAÑA
Valencia

Lisboa
Setúbal

Cáceres
Mérida
Badajoz

Río Guadiana

Ciudad Real
CASTILLA LA MANCHA
Río Júcar
Albacete
VALENCIA

Ibiza
ISLAS BALEARES

Formentera

Mar Mediterráneo

Almadén
SIERRA MORENA
Linares
Río Guadalquivir

Alicante

Huelva
Sevilla

Córdoba   Jaén
ANDALUCÍA
Murcia
MURCIA
Cartagena

SIERRA NEVADA
Granada
Almería

Málaga   Costa del Sol

Cádiz
Jerez de la Frontera

Algeciras
Estrecho de Gibraltar   Ceuta (Esp.)
Tánger

Melilla (Esp.)

ÁFRICA
ÁFRICA

ÁFRICA

Santa Cruz de la Palma
La Palma   Lanzarote
Santa Cruz   Arrecife
Gomera   Puerto del Rosario
Tenerife   Las Palmas   Fuerteventura
Hierro   Gran Canaria
ISLAS CANARIAS (ESPAÑA)
ÁFRICA
OCÉANO ATLÁNTICO

Malabo
CAMERÚN
GUINEA ECUATORIAL
OCÉANO ATLÁNTICO
GABÓN

Espania y África

Audioscript

Capítulo 6

MIGUEL: [*Enthusiastically*] ¡Hola Miriam!

MIRIAM: [*Dryly*] Hola Miguel.

MIGUEL: Pero, ¿qué te pasa?

MIRIAM: Nada.

MIGUEL: Pero, ¿cómo que nada?

MIRIAM: Mira, mejor no hablemos aquí.

MIGUEL: Pero, ¿qué es lo que te pasa?

MIRIAM: Es que no sé como reaccionarías tú si te hubieran dejado esperando más de una hora.

MIGUEL: Pero, ¿quién te hizo eso?

MIRIAM: ¡Tú!

MIGUEL: [*Incredulous*] ¿Yo?

MIRIAM: Sí, tú.

MIGUEL: Pero, ¿de qué hablas?

MIRIAM: Miguel, el jueves acordamos que tú y yo íbamos a ir al cine el fin de semana. Te esperé más de una hora en el café y no apareciste. Dijiste que si me llamabas por teléfono sería para hacer otros planes, pero que si no oía de ti iríamos al cine.

MIGUEL: Ay, lo siento Miriam… Es que cuando unos amigos sugirieron ir al mercado de indígenas en Otavalo, me entusiasmé y me fui inmediatamente, pero se me olvidó llamarte por teléfono. Francamente, se me olvidaron nuestros planes.

MIRIAM: ¡No me vengas con ese cuento! ¿Cómo pudiste olvidar nuestros planes? Esta es ya la tercera vez que se te olvidan.

MIGUEL: Créeme Miriam. No lo hice a propósito.

MIRIAM: Mira Miguel, ya me cansé de todo esto. Vamos a dejar las cosas entre nosotros por un tiempo.

MIGUEL: [*Pleading*] Pero, Miriam…

Capítulo 7

MARIANA: La ley francesa que prohíbe el uso de símbolos religiosos en las escuelas estatales ha provocado reacciones muy distintas en Europa y protestas por todo el mundo. Aquí en España vamos a averiguar las reacciones ante tal ley y su posible implementación en este país. Hoy tenemos a dos estudiantes universitarias con nosotros, Luisa y Clara, quienes van a compartir con nosotros sus opiniones sobre este asunto. Clara, ¿qué opinas tú sobre la ley que prohíbe el uso de símbolos religiosos en las escuelas?

CLARA: Bueno, eso a mí no me importa en absoluto. Solía llevar un crucifijo en el cuello, pero he dejado de usarlo hace un tiempo así que a mí no me molesta nada este tipo de ley porque no me afecta personalmente.

MARIANA: Pero si todavía usaras el crucifijo, ¿te molestaría que te digan que tienes que quitártelo?

CLARA: ¡Cómo no! Las escuelas estatales no han exigido uniformes, así que uno puede llevar lo que uno quiere. Llevar una esvástica u otro símbolo ofensivo es una cosa, pero no permitir el uso de símbolos religiosos es otra cosa. No me parece buena idea prohibir el uso de velos islámicos y kipás judías si es eso lo que alguien quiere hacer.

MARIANA: ¿Y tú, Luisa? ¿Qué opinas?

LUISA: Si alguien quiere llevar el velo o un crucifijo, lo debe poder hacer tranquila. Con tal que la escuela no instigue una creencia religiosa, basta. El modo de vestir no tiene nada que ver con la separación entre el Estado y la Iglesia.

MARIANA: ¿Crees que la propuesta francesa discrimina a ciertos grupos?

LUISA: Si fuera musulmana, diría que sí porque mi religión dicta el uso del velo.

MARIANA: Pero, el velo también representa para algunas personas un signo de opresión a las mujeres.

LUISA: Tienes razón, pero muchas religiones no dan los mismos derechos a las mujeres que a los hombres.

MARIANA: Muy bien, gracias chicas.

CLARA & LUISA: De nada.

Capítulo 8

JULIO: Mira, acabo de leer algo que nos puede servir para la presentación. Este libro dice que la democracia española es parte de un movimiento democrático mundial que empezó a mediados de 1970 con la desintegración de las dictaduras en Portugal, Grecia y España. Aparentemente, esta revolución democrática también da fin a los regímenes militares en Latinoamérica de los años ochenta y culmina con el colapso del comunismo en las naciones del este de Europa y en la Unión Soviética a principios de los años noventa. Según este autor, ninguna de las naciones que se democratizan a partir de la década de los setenta obtiene los logros políticos, económicos o sociales que disfruta España. Incluso propone que muchas naciones buscan copiar el camino que siguió España. Esta información nos va a ser muy útil para la conclusión, ¿no crees?

Capítulo 9

SR. GALVÁN: Buenas tardes, soy miembro de la Sociedad Futurista Mexicana y su profesora me ha invitado hoy a discutir los posibles desarrollos que nuestro grupo cree que van a ocurrir dentro de este siglo. Me voy a limitar a sólo algunos de ellos ya que no tendremos tiempo para cubrirlos todos hoy día. Sospechamos que el efecto invernadero va a sentirse con más intensidad en los centros urbanos porque el asfalto y concreto retienen el calor incluso por la noche. A menos que se haga algo para combatir el calentamiento atmosférico, la salud de muchas personas se verá afectada. Consideren la ola de calor que abatió Europa durante el verano del año 2003; murieron casi 20.000 personas.

Por otro lado, también creemos que gracias a los adelantos en la computación y la implementación innovadora de computadoras, las víctimas de paros cardíacos e infartos podrán recuperar el uso de sus brazos sin que sea necesario ir a un gimnasio o tomar medicamentos. Los pacientes podrán practicar movimientos de manos o brazos, por ejemplo, en un mundo virtual donde pueden acceder a un ambiente más estimulante para aliviar el aburrimiento asociado con los ejercicios repetitivos.

También anticipamos la llegada de la época Jetson, donde las carreteras dejarán de existir. Se empezarán a fabricar naves voladoras para que podamos movernos de un lugar a otro a alta velocidad, eliminando el uso de combustibles tradicionales.

Es difícil imaginar todo esto, pero si mantenemos el ritmo que llevamos ahora todo esto será una realidad.

Capítulo 10

PROFESORA: Hemos hablado de cambios que pueden ocurrir en el futuro, pero me gustaría saber, ¿qué creen que va a pasar con los libros? ¿Dejarán de existir en algún momento? Pedro…

PEDRO: Yo creo que no dejarán de existir porque son fáciles de leer en cualquier lugar. No pesan mucho y caben donde sea.

PROFESORA: ¿Alicia?

ALICIA: Pero los libros electrónicos se pueden leer en varios lugares mientras se pueda tener acceso a una computadora. Creo que con los adelantos de informática, tendremos computadoras o lectores cada vez más potentes y pequeños, así que el libro en papel dejará de existir.

PROFESORA: ¿Andrés… ?

ANDRÉS: Yo estoy de acuerdo, creo que el libro en papel será cosa del pasado. Los enlaces de multimedia a los que se puede acceder con la versión electrónica son fascinantes y hacen el proceso de leer mucho más interesante.

PROFESORA: ¿Susana…?

SUSANA: Para mí, la lectura es una actividad mucho más interactiva. Yo por ejemplo, escribo en las márgenes de las páginas donde hay una idea que me impresiona o con la cual estoy en desacuerdo totalmente. Con los libros electrónicos dependes de lo que un aparato te deje hacer, con los libros en papel tú lo controlas. Por esta razón, no creo que el libro deje de existir tan pronto como algunas personas creen. Con tal que haya gente como yo, no dejará de existir.

PROFESORA: Bueno, veo que cada formato tiene sus ventajas. Ahora quiero que formen grupos y que cada grupo lea la siguiente lectura en formato electrónico o en papel y hagan una lista de lo que pudieron y no pudieron hacer con el formato que eligieron.